LA PIETÀ RONDANINI

Pierluigi Lia

LA PIETÀ RONDANINI
Una lettura del Mistero pasquale

Presentazione di PierAngelo Sequeri

ANCORA

Le immagini riprodotte in questo volume
sono pubblicate per gentile concessione
del Museo d'Arte Antica del Castello Sforzesco, Milano

Fotografie di Marcello Saporetti

© 1999 **ÀNCORA** S.r.l.

ÀNCORA EDITRICE
Via G.B. Niccolini, 8 - 20154 Milano
Tel. 02.345608.1 - Fax 02.345608.66
E-mail: editrice@ancora-libri.it
Internet Site: www.ancora-libri.it
N.A. 3871
ÀNCORA ARTI GRAFICHE
Via B. Crespi, 30 - 20159 Milano
Tel. 02.69008179 - Fax 02.6080017
E-mail: arti.grafiche@ancora-libri.it

ISBN 88-7610-730-4

A don Bruno Ripamonti

Presentazione
L'ultima scena

La *Pietà Rondanini*, che si può ammirare al Castello Sforzesco di Milano, fu cominciata verso il 1555. Nel 1564, quando Michelangelo morì, a ottantanove anni, ci stava ancora lavorando. Forse era giusto così. Tanto accuratamente scavato ci appare quel suo infinito abbozzo di pietra tombale, da aver reso irrimediabilmente incompiuta la sua rifinitura. Così apparve, alla coscienza dell'artista, dell'uomo e del credente, la sua stessa vita. Inizialmente concepita come un sol blocco con la vocazione dell'arte: da cercarne la perfezione quale compimento di entrambe. Nel lungo declino, poi, acutamente intuita come una traccia infuocata che ha scavato – nell'anima, come nella pietra – il profilo di una finitezza in miracoloso equilibrio sull'abisso.

Giunto è già 'l corso della vita mia, / con tempestoso mar, per fragil barca, / al comun porto, ov'a render si varca / conto e ragion d'ogni opra trista e pia [...]. Né pinger né scolpir fie più che quieti / l'anima, volta a quell'amore divino / c'aperse, a prender noi, 'n croce le braccia (*Rime*, 285).

Su quel crinale, impossibile e inevitabile si rivela, a un tempo, la vocazione ricevuta. Un tempo, «l'affettüosa fantasia che l'arte mi fece idol e monarca», è pur stata fuoco e passione di un'energia totale dell'immaginazione: grazia ricevuta e perfezione cercata. Ma essa appare ora, allo sguardo pacato di una destinazione che si compie altrove, come il vincolo necessario di una pura e semplice iniziazione all'inimmaginabile della speranza. Esercizio del frammento, gioco della creazione con le briciole di Dio: «Tu mi da' quel c'ognor t'avanza / e vuo' da me le cose che non sono» (*Rime*, 270). «Con tanta servitù, con tanto tedio / e con falsi concetti e gran periglio dell'alma a sculpir qui cose divine» (*Rime*, 282).

Il lungo istante di questa *meditatio mortis* (in realtà un vero e proprio *testamentum vitae* scolpito nella pietra), è restituito nella sua forza sintetica dalle pagine di Pierluigi Lia. La sua *scrittura* rivela lunga frequentazione e rispettosa partecipazione al linguaggio dei segni e delle carte. La mano leggera e la profondità dello sfondo rivelano umana solidarietà con quel libro delle *Confessioni* che – a suo modo – l'artista è costretto a scrivere. Ne prende forma una *lettura* egualmente lontana dalla duplice insopportabile deriva che affligge l'interpretazione *dell'arte sacra*. La prima è quella in cui la sapienza del geroglifico si nutre smodatamente della sua propria euforia analitica e comparativa: come fosse incongruamente liberata, nella certezza della morte dell'uomo che l'ha provvista di un'opera sulla quale esercitarsi, dalla necessità di raccoglierne l'anima appassionatamente confessante. La seconda deriva è indotta da quella indecente esibizione della propria esaltazione spirituale la quale, al riparo della plateale certezza di universale apprezzamento dell'opera, ci espone con confidenziale solennità i luoghi comuni del misticismo d'attacco di tutti i *foyers* piccolo-borghesi del sublime.

L'uomo del quale viene qui elogiata la *magnanimità* è certamente un uomo in cui il *furor animae* si agita e si acquieta, si esalta e si dibatte, dentro *una forma cristiana*. Il *come* una simile dialettica dello spirito e della forza rimanga impigliata nel gesto della mano, e si riverberi, per contraccolpo, nell'animo che ne risuona, è naturalmente tutto da vedere. E da discutere. Rimane però assodato, una volta di più, che catechismi troppo clericali, o breviari troppo laici, sono insufficienti all'esplorazione dei segni dell'anima che sono all'opera nell'arte di vocazione e di pensiero.

Da qualche parte, l'ultimo-dio della filosofia ha scritto che, prima ancora del *logos*, è la mano a rivelare l'umano (Heidegger). Se esiste un tratto di stile in cui la mano dell'artista non si rivela negli stereotipi caratteristici del segno, ma proprio nella palpabile spiritualità del gesto *di una mano che pensa*, questi è certamente Michelangelo. Il prodotto – qui l'opera –per quanto finito, non è mai all'altezza della mano che l'ha pensato. Nel movimento del pensiero, letteralmente generato dalla mano che mette il sensibile alla prova dello spirito e della forza, rimane un'eccedenza ineseguibile. La mano, all'opera, *non può* aggiungere più nulla.

Eppure, l'intenzione eccedente rimane impressa, nella percepibile vibrazione di un gesto in atto di compiersi: a marcarne, in certo modo, la *doverosa* incompiutezza.

L'osservatore attento (quello che è capace di vedere con "il terzo occhio" di cui parlava Zarathustra-Nietzsche) a poco a poco impara a riconoscerlo, quel gesto sospeso e onnipresente. Impara a distinguerlo dal puro segno della compiutezza o della incompiutezza formale. E anche dalla semplice vitalità della forza spirituale che anima le forme. In quel tratto incorporeo (eppure così letterale e così fisico) della mano *all'opera*, affiora, un *ethos* riflessivo *dell'operare* umano e artistico a un tempo che dà la misura di una grandezza.

Pierluigi Lia traccia sinteticamente e suggestivamente *la storia di un'anima* che si concentra in questo gesto sospeso. E ci istruisce così sul movimento della sua evoluzione all'interno della coscienza artistica del personaggio.

In quel gesto è inscritta la cifra/simbolo di una vera e propria *meditatio mortis*, che si affina progressivamente. Nella *Pie-*

tà Rondanini quel gesto è ormai totalmente scoperto, palese: soverchiante, quasi, nei confronti del tema. Eppure, proprio così, di quel tema già più volte frequentato, è restituita l'evidenza compiuta. O meglio: è offerta l'evidenza di ciò che in quel tema è destinato a compiersi. Destinato, in verità fin dall'inizio. Lungo *il curriculum vitae*, ogni parziale compimento – com'è giusto – appare pur sempre come uno slancio verso il non ancora compiuto. Un balzo vitale che porta il limite un po' più in là: gesto di anticipazione che avvicina *di forza* ciò che ancora non ha trovato la *sua forma*. L'approssimazione della soglia estrema raccoglie l'essenza più per sottrazione del già fatto che per accumulo dell'ancora possibile. Lasciandosi purificare dalla insormontabile discontinuità dei sensi e del senso, si concentra sulla rivelazione dell'essenza nella salutare verità dell'imperfezione.

Tra il primo soffio di Adamo e l'ultimo respiro di Cristo, la mano di Michelangelo pensa le molte figure del *paradosso cristiano di un destino comune per Dio e per l'uomo*. Vi lascio al piacere di scoprire, attraverso le pagine di questo libro, in quale modo la *Pietà Rondanini* sia capace di illuminare retrospettivamente i tumultuosi esperimenti michelangioleschi della restituzione di questa verità paradossale alla sensibile percezione della sua storicità. Giustamente Lia ricorda, evocando Cristina Campo come testimone d'elezione, che il genio cristiano, all'opera nella mano di Michelangelo, richiede *l'attenzione* fine e spregiudicata a un tempo del vero intelletto d'amore. La sensibilità richiesta è quella che si rende necessaria ogni volta che qualche frammento del mondo intercetta con speciale violenza una luce improvvisa che viene dall'alto. L'occhio è colpito da una felicità dolorosa: la luce che lo appaga, al tempo stesso lo trafigge. Anche i sensi spirituali hanno cognizione del dolore e della finitezza. Essi però, a differenza di quelli della carne, vi resistono a ogni costo. *In spe e contra spem.*

Nel caso di Michelangelo, certamente, l'*attenzione* richiesta trova conforto in un'*intenzione* precisa. L'esercizio spirituale dei sensi che vi si declina è lo stesso al quale approda, nel suo termine, l'esercizio della parola poetica e visionaria che, per la prima volta, aveva *modernamente* interpretato il divino e l'umano come "due parti" in identica "commedia": «... dentro da sé, del suo colore stesso, mi parve pinta de la nostra effige: per che 'l mio viso in lei tutto era messo» (*Paradiso*, XXXIII, 130-132). Persino più audacemente, in un *frammento* di Michelangelo: «... il tuo volto nel mio ben può veder, tuo grazia e tuo mercede, chi per superchia luce te non vede» (Appendice 34).

Andate a vedere la *Pietà Rondanini*. Sostate a lungo, con attenzione. E incominciate a leggere questo libro. È l'ultima scena, quella che dà la chiave della divina commedia nella storia dell'Uomo. Nel vostro prossimo Venerdì di Pasqua, nulla sarà più come prima.

PierAngelo Sequeri

Introduzione

L'opera di Michelangelo costituisce certamente una pietra miliare dell'arte occidentale e sotto questo profilo è fatta oggetto di continuo studio e di costante approfondimento, di una sempre più puntuale analisi formale e di una crescente indagine a proposito dei suoi fondamenti teoretici; eppure c'è un aspetto che Michelangelo stesso addita insistentemente come determinante per la comprensione della sua opera e della sua intera vicenda biografica, la cui attenta considerazione è generalmente disattesa: si tratta espressamente della sua fede cristiana[1].

Michelangelo uomo del Rinascimento, Michelangelo debitore del pensiero neoplatonico, Michelangelo appassionato osservatore della storia degli uomini e attento indagatore delle forze che in essa operano, questo Michelangelo chiede insistentemente di essere conosciuto quale credente, di essere ascoltato e compreso quale uomo che ha fatto della fede cristiana il caso serio della sua vita.

L'affermazione può sembrare suggerita da una precomprensione di ordine confessionale, ma è sufficiente sfogliare il

---

[1] Quando, nell'ottobre del 1996, licenziavo queste pagine nell'amato ritiro di Heidelberg, non potevo ancora conoscere il bel volume di Antonio Paolucci, *Michelangelo - Le Pietà*, edito da Skira l'anno successivo. Mi permetto di consigliarlo al lettore.

suo carteggio[2] e soprattutto le *Rime*[3], per ascoltare Michelangelo stesso indirizzare insistentemente l'attenzione dei suoi interlocutori in questa direzione e offrirci la preziosa opportunità di seguirlo, proprio contemplandone l'opera, nello sviluppo del suo cammino spirituale.

Se è certamente vero che i soggetti del suo lavoro dipesero per buona parte dai committenti, non è meno vero che egli si prese non solo la libertà di accettare o di rifiutare opere commissionate, ma che si riservò di deciderne (e di sovvertirne a volte) l'impianto plastico o iconografico, lo sviluppo, la destinazione, il programma dottrinale, a partire dalla propria prospettiva teologica. Valgano come esempi il *Monumento funebre a Giulio II* e soprattutto la *Cappella Sistina*.

Ritengo che solo entrando in questa prospettiva, soltanto interrogando con attenzione puntuale l'opera di Michelangelo come realizzazione-testimonianza di un'esistenza cristiana, si possa coglierne a fondo la poderosa unità – pur nella consistente evoluzione – e si possa accogliere anche quell'estrema "parola pasquale" che è la *Pietà Rondanini*.

A mio modo di vedere, quest'ultima infatti è la "parola" cui – non solo cronologicamente – approda la vicenda di Michelangelo. Giunto alla fine della sua lunga esistenza, dopo tre quarti di secolo di intenso operare artistico, Michelangelo riguarda, riconsidera la sua storia personale e l'intera storia del mondo (che egli – come cercherò di mostrare – vede individuata nella propria vicenda singolare), distendendo a ritroso, dalla prossimità all'approdo, lo sguardo che tutto abbraccia. La *Pietà Rondanini* è l'estrema "parola" che sorge da que-

[2] G. MILANESI, *Le lettere di Michelangelo Buonarroti pubblicate coi ricordi e i contratti artistici*, Firenze 1875.

[3] Citerò l'opera poetica di Michelangelo secondo l'edizione Rizzoli indicandone il numero d'ordine tra parentesi al termine di ogni citazione, cf MICHELANGELO BUONARROTI, *Rime*, Milano 1990[4].

sta visione. In essa ci è sussurrato che la vicenda dell'uomo non è destinata al giudizio che ne marca *la fine*[4], *ma è destinata al compimento prefigurato dalla speranza cristiana nel Figlio di Dio che ci ha amati e ha dato se stesso per ciascuno di noi*[5], rivelando che proprio questo amore misericordioso è *il fine* della storia medesima, *il fine* dell'umana vicenda.

La *Pietà Rondanini*, la Parola[6] di speranza pasquale che in essa risuona, è l'oggetto proprio delle considerazioni che seguono. L'intendimento è quello, da un lato, di aiutare l'osservatore attento[7] a coglierne più a fondo il *logos* – avrebbero detto gli antichi – ossia l'intenzione che la plasma, la profonda verità che così ci si rivela nel muto significare delle forme; d'altro lato, di consentire all'osservatore credente di accoglierne l'alta testimonianza cristiana[8], traguardando oltre il velo di pudore che maschera appena la parola, fatalmente immodesta, che consegna ad altri l'estrema intuizione della verità della propria esistenza.

Giusta la convinzione che quest'opera rappresenta il compimento, la parola ultima della vita stessa di Michelangelo[9], cercherò di dare innanzitutto uno sguardo generale all'intero suo lavoro, vietandomi alla pretesa di offrirne un apprezza-

---

[4] Come vedremo tra breve a proposito del *Giudizio universale* della *Cappella Sistina*.

[5] Cf Gal 2, 20.

[6] Scrivo "Parola" con la maiuscola perché, come cercherò di fare emergere, si tratta proprio del Figlio di Dio.

[7] Penso all'attenzione nel senso cantato frequentemente da Cristina Campo: forma suprema della cura – e quindi dell'amore – che sola consente la visione. Si veda per esempio: C. CAMPO, *Gli imperdonabili*, Milano 1987, p. 165 ss; ID., *Sotto falso nome*, Milano 1998, pp. 52-53.

[8] Si tratta dunque di un lavoro di biografia teologica, del tipo che Péguy riconosceva quale compito dello storico memorialista, quello di Joinville nei confronti di san Luigi, il proprio nei confronti di Giovanna d'Arco, quello che è già stato il nostro da ultimo, proprio nei confronti di Péguy stesso (mi riferisco a P. LIA, *L'Incanto della speranza. Saggio sul canto dei Misteri di Charles Péguy*, Milano 1998).

[9] Circa un mese dopo la morte del maestro, l'allievo Daniele da Volterra scrive al Vasari: «Egli lavorò [a una Pietà in braccio alla nostra Donna] tutto il Sabato che fu inanti al Lunedì che s'ammalò».

mento tecnico dal punto di vista artistico[10], quanto piuttosto cercando di fare emergere le linee essenziali della tensione spirituale che lo determinano. In un secondo momento mi concentrerò sulla *Pietà Rondanini* in particolare.

---

[10] Non è infatti di mia competenza. Per questo ho attinto all'abbondante letteratura specialistica. Segnalo in particolare: C. DE TOLNAY, *Michelangelo*, Firenze 1951; ID., *The Youth of Michelangele*, I, Princeton 1943; ID., *The final Period*, V, Princeton 1960; ID., *The Rondanini Pietà*, in «Burlington Magazine» CXXVII, p. 154 ss; A.M. CORBO, *Documenti romani su Michelangelo*, in «Commentari» XVI, p. 98 ss; F. BAUMGART, *Die Pietà Rondanini*, in Jahrbuch der Preussichen Kunstsammlungen, p. 44 ss; E. CAMPI, *Michelangelo e Vittoria Colonna*, un dialogo artistico-teologico ispirato da Bernardino Ochino, Torino 1994; E. SESTRIERI, *L'ultima Pietà di Michelangelo*, Roma 1952; A. PARRONCHI, *Pietà Rondanini*, in *La comunità cristiana fiorentina e toscana nella dialettica religiosa del Cinquecento*, catalogo della mostra, Firenze 1980, p. 267 ss; ID., *Ricostruzione della Pietà Rondanini*, in «Michelangelo» IV, 14, p. 18 ss; B. MANTURA, *Il primo Cristo della Pietà Rondanini*, in «Bollettino d'arte» LVIII, 4, p. 199 ss.

I
L'opera che è la vita

Dynamis: ovvero forza che plasma la storia

Due temi emergono costantemente dagli studi sull'opera di Michelangelo: il tema dell'arte considerata quale interiore ispirazione e il tema della storia come progressiva realizzazione etica. Alla radice di entrambi i temi sta una visione di uomo determinata dalla grande eredità dell'Umanesimo e del Rinascimento italiano. Visione che accomuna Michelangelo con il suo tempo di cui è certamente uno degli interpreti più geniali[1]. Se osserviamo in rapida panoramica tale eredità nelle sue caratteristiche più generali possiamo riconoscervi due accenti essenziali: un primo accento riguarda il potere e la libertà dell'individuo; un secondo riguarda lo stupore per l'universo che si dispiega alla sua considerazione, per la natura che si svela alla sua indagine.

In estrema semplificazione potremmo dire che se Leonardo da Vinci fu conquistato prevalentemente dal secondo aspetto, Michelangelo lo fu dal primo.

Nelle opere di Michelangelo in primo piano sta la tensione che realizza l'evento, sta l'attuazione delle forze che determinano il gesto al quale – in ogni presente – conclude l'infinito divenire della storia per sporgersi immediatamente verso l'evento successivo. Per quanto, però, tale gesto si ponga alla

---

[1] Come ogni genio, Michelangelo si troverà a trasgredire l'eredità del suo tempo non meno di quanto la assuma e la interpreti.

convergenza, al punto di attuazione dell'intera azione storico-cosmica che l'ha preceduto, la sua singolare realizzazione non è frutto dello sviluppo di una sorta di determinismo naturale: grande protagonista del gesto è la personale libertà dell'uomo che lo pone in essere. Questa libertà, l'individua determinazione del volere, entra in gioco quale prima forza antagonista, rispetto al determinismo naturale degli eventi e all'inerzia della materia.

Proprio a motivo di questa concentrazione della dinamica della storia nell'evento che ha per protagonista la libertà singolare dell'uomo, non è possibile pensare alla storia sotto un profilo puramente universale: essa si realizza sempre come storia di ciascun uomo. Come tale, la coscienza impara a conoscerla per apprezzarne poi, a partire da qui, anche il profilo universale. E neppure la storia si configura innanzitutto come idea, ma sempre si realizza nella singolare risposta all'imperativo etico che vincola l'esistenza dell'uomo alla determinazione del volere, all'azione.

Ecco dunque che Michelangelo fa delle sue opere degli eventi storici nel senso che stiamo considerando; eventi determinati da forze che diremo in "equilibrio instabile": masse in movimento che non conoscono la quiete, il cui equilibrio è sospeso, senza possibilità di requie, tra passato e futuro; non concludono alla pace, alla rilassatezza, alla misura classica; non consentono di dimenticare la massa da cui sorgono, il groviglio da cui emergono, l'incompiutezza che è il connotato identificativo della vita e quindi della loro stessa vita[2].

---

[2] Ciascuna di esse, gesto della vita stessa di Michelangelo, è traccia in cui è possibile riconoscere perfettamente "l'immagine" dell'autore, la sua tensione esistenziale, colta nell'atto stesso in cui è dichiarata la transitorietà di ogni immagine, l'instabilità di ogni realizzazione in cui la vita dell'uomo si riconosce, incatenata com'è al passato e protesa nell'urgenza del proprio futuro.

Da queste premesse consegue necessariamente la convinzione che l'operare dell'uomo, di ogni uomo, realizza la sua stessa vita, realizza la forma della sua esistenza riscattandola, redimendola dall'inerzia della materia, dal determinismo naturale, dalla fatalità degli eventi.

Operando nella storia, l'uomo, ogni uomo, risponde all'imperativo etico che lo consegna responsabilmente alla vita, che lo tiene in vita in senso propriamente umano, e allo stesso tempo determina l'esistenza della storia umana del mondo. Questo accade di ogni uomo, in diversa misura, con diversa consapevolezza, a prescindere da ogni apprezzamento propriamente morale. È invece proprio di *alcuni uomini* avere a questo riguardo un'intuizione particolarmente lucida e profonda. Costoro possono così dedicarsi alla costruzione dell'opera della propria vita, animati da una consistente consapevolezza che sottrae intenzionalmente tale opera alla superficialità, all'accidentalità, al semplice istinto. Costoro combattono così la loro diuturna battaglia al vertice dello sviluppo della storia, realizzano nella loro personale vicenda il riscatto storico delle coscienze opache, il riscatto della libertà – che acconsente all'appello etico della propria dignità – dall'inerzia della materia e dell'animalità che l'avvolge, dalla volgarità che la piaga[3].

Michelangelo è uno di questi uomini e come tale è consapevole di esserlo. Egli confida che la sua opera, l'opera che è

---

[3] A questo riguardo è spontaneo ricordare le pagine luminose di Kandinsky: «Un grande triangolo acuto diviso in sezioni disuguali, che si restringono verso l'alto, rappresenta in modo schematico, ma preciso, la vita spirituale. In basso, le sezioni del triangolo diventano sempre più grandi ed estese. [...] Al vertice sta qualche volta solo un uomo. [...] E quelli che gli sono più vicini non lo capiscono. [...] Così disprezzarono Beethoven, che visse da solo, al vertice. Quanti anni ci sono voluti prima che una sezione più larga del triangolo arrivasse dov'era lui! [...] È chiaro che ognuna di queste sezioni ha consciamente o (più spesso) inconsciamente fame del proprio pane spirituale. È il pane che le danno i suoi artisti, e a cui domani aspirerà la sezione successiva» (W. KANDINSKY, *Lo spirituale nell'arte*, Milano 1989, pp. 23-24).

la sua vita, realizzi per l'intera vicenda degli uomini ciò che ogni suo colpo di scalpello realizza sulla materia, sprigionandone le potenzialità e realizzando un'inedita sinergia tesa alla realizzazione dell'evento formale.

Vocazione

La visione dell'uomo che stiamo descrivendo, e la particolare intelligenza della storia e dei singoli eventi che le corrispondono, risulta del tutto parziale se non la inquadriamo nella più ampia prospettiva teologica entro la quale Michelangelo la comprende. La storia dell'uomo e l'opera della sua libertà si collocano infatti, secondo Michelangelo, nel quadro della storia della salvezza: dell'opera messa in atto dalla sovrana libertà di Dio. In questo quadro dalle proporzioni cosmiche l'opera dell'uomo si configura non solo come corrispondenza a un imperativo etico generico, ma quale risposta a una consegna teologica. Si tratta della consegna con cui la libertà divina elegge l'uomo come collaboratore alla propria opera, affidandone lo sviluppo storico alla sua umana libertà. L'uomo è così costituito partner di Dio, interlocutore di Dio, libero co-attore della libertà divina che mette in moto la storia e, come tale, è puntualmente raggiunto da una Parola divina che lo suscita, lo desta, lo provoca. Potremmo dire che l'anello di congiunzione, lo snodo esatto tra l'opera dei due partner è la *vocazione* (la parola divina che originariamente suscita l'uomo e lo destina affidandogli il compito della libertà), mentre potremmo vedere il principio formale dell'opera della storia nella *libertà dell'uomo* che corrisponde all'interlocuzione divina, compiendo l'opera storica nella retta coscienza della propria originaria connotazione obbedienziale. L'opera della storia ha quindi nella *riconsegna a Dio* il proprio *telos*: il proprio fine, la propria destinazione conforme all'origine.

20

In questa prospettiva possiamo comprendere come il principio etico che abbiamo più sopra considerato si realizzi per il credente nella percezione di dovere esistere assentendo a un'originaria consegna teologica.

Per Michelangelo in particolare il principio etico è insuperabilmente principio obbedienziale e il *furor animae*[4] *è da comprendersi non tanto nella prospettiva romantica del genio ispirato, quanto piuttosto come espressione di una dinamica relazionale che vede coinvolti l'uomo e Dio e che ha nella vocazione divina il suo fondamento.* In questo senso il *furor animae,* l'insopprimibile volontà di creazione artistica che agita Michelangelo, chiede dunque di essere descritto – nel lessico proprio della tradizione cristiana – come quell'azione dello Spirito[5] che consente il dialogo umano-divino e che, in conseguenza di ciò, associa l'uomo all'opera della creazione[6].

Se, come dovremo segnalare più oltre, gli scritti di Michelangelo e in particolare le sue *Rime* offrono un consistente conforto a quanto sto suggerendo, credo che la decorazione pittorica della *Cappella Sistina* possa essere considerata come la più ampia rappresentazione-testimonianza che egli ci ha lasciato a questo riguardo.

È noto che Michelangelo si riservò completamente il progetto dello sviluppo iconografico che – procedendo dall'in-

---

[4] L'ispirazione interiore che abbiamo ricordato all'inizio e che ogni critico cita quale caratteristica determinante di Michelangelo.

[5] In questo senso possiamo propriamente parlare di ispirazione e di entusiasmo.

[6] In Michelangelo come in ogni esistenza cristiana, in modo conforme allo sviluppo di ogni itinerario di assenso vocazionale che si sviluppa dall'infanzia spirituale alla «piena maturità in Cristo» (Ef 4, 13), tutto questo è continuamente attraversato da tensioni, da imperfezioni, da luce e ombre. Negli ultimi anni della vita egli confesserà a più riprese di avere subito la seduzione dell'arte in una forma che, giunto a tarda età, gli è motivo di rammarico: «... Onde l'affettüosa fantasia / che l'arte mi fece idol e monarca / conosco or ben com'era d'error carca / e quel c'a mal suo grado ogn'uom desia...» (285). Tuttavia, proprio questa consapevolezza (su cui tornerò a soffermarmi più oltre) caratteristica delle più lucide autobiografie cristiane, rivela, nell'evoluzione della sua personalità credente, la sostanziale permanenza del connotato essenziale che ho indicato.

gresso – rappresenta le origini della storia della salvezza in una sequenza di quadri che risalgono dall'ebbrezza di Noè dopo il diluvio universale fino al primo giorno della creazione. In proposito occorre che facciamo due rilievi: il percorso si svolge secondo una sequenza evidentemente cancrizzante, a ritroso dunque rispetto alla cronologia biblica. Con questo Michelangelo suggerisce che non esiste per l'uomo alcuna evidenza di Dio, della sua opera creatrice, della sua relazione con l'uomo, insomma nessuna evidenza diretta dell'Essere perfettissimo Creatore e Signore del cielo e della terra: solo grazie all'attenta e paziente riflessione, che uno sguardo intelligente e scrutatore rivolge a ritroso alla storia della salvezza, è possibile guadagnare una conoscenza della rivelazione di Dio e risalire dalla vicenda che l'uomo conduce sulla terra, cui è stato definitivamente riconsegnato dall'Arca – che lo ha salvato dalle acque del diluvio –, fino alla sua originaria identità teologica e all'opera del Creatore. Un tale sguardo teologicamente intelligente è innanzitutto quello del genio cristiano[7], e poi quello di chi si lascia guidare passo-passo dalla sua opera (che nello specifico è la propria opera di artista).

Qual è dunque questa identità originaria che Michelangelo testimonia? Egli dipinge l'uomo in un intimo dialogo con il Creatore: la tensione serena che lega le due figure determina l'identità di Adamo, lo definisce connotativamente; la sua giovane maturità sta nuda di fronte a Dio in perfetta, lieta accoglienza e in confidente risposta. E i suoi tratti sono molto si-

---

[7] Dico qui "genio cristiano" intendendo sottolineare due aspetti: il primo riguarda il genio in genere, inteso come poco sopra, quale uomo capace di un'intuizione particolarmente lucida e profonda della responsabilità dell'opera della libertà nella storia e consapevolmente dedito a realizzare con l'intera opera della sua vita il proprio compito storico, per sé e per il proprio tempo. Il secondo riguarda la specificazione di cristiano: questa allude alla prospettiva esplicitamente vocazionale cristiana (nel senso cui stiamo facendo riferimento) secondo cui alcuni genî realizzano l'opera della loro vita, come Michelangelo appunto. Qui egli offre dunque un'intelligenza teologica dell'identità creata dell'uomo a partire dalla considerazione della sua vicenda riguardata come storia della salvezza.

to il proprio sguardo si accorgerà che Dio stesso si rivela nella sua opera. E ancor di più, che egli stesso, l'uomo, dal primo all'ultimo Adamo, è Sua opera, opera in cui Egli stesso, Dio artista primo, si rivela. Eccolo dunque creato, costituito nel suo primo giorno così simile a Lui – figlio a immagine del Figlio[10] – originariamente destinato a una relazione figliale, a una figliale riconsegna di sé al Padre una volta fatto adulto per l'opera della propria stessa vita, per l'opera della propria storia. Per questo può e deve comprendere la propria identità a partire dall'operare continuo della libertà ri-conoscente, consapevole che il cosmo intero delle libertà tende all'atto estremo che porrà fine alla storia. Là ci sarà dato di scorgere un analogo riflesso di volti. Come vedremo, la *Pietà Rondanini* testimonierà la speranza che proprio tale riflesso sia la grazia della familiarità eterna costituita da Dio nella vita risorta.

Così intesa la storia del mondo davvero non è un assoluto: esattamente delimitata dai due atti di Dio che la principiano e la concludono, la storia è definita e precisamente racchiusa. Non è dunque sottoposta all'incondizionata signoria dell'uomo; a questi, anzi, essa è consegnata quale compito perché venga poi riconsegnata a Dio a compimento del suo giorno operoso, sottratta in questo modo al dispotismo presuntuoso dell'umana libertà, ma sottratta del pari a ogni determinismo naturale e anche a ogni possibile concezione panteistica, a ogni divinizzazione e assolutizzazione.

Se questo è vero, il credente cristiano può guardare oltre la fine della storia, confidando nelle mani di Dio disposte ad accogliere l'opera della storia, una volta compiuto il suo tempo. Può riporre la propria speranza in un compimento della storia che trascende la storia stessa, ma senza per questo negarla, proprio in quanto è gesto divino di accoglienza dell'opera della

---

[10] Cf Rm 8, 29.

25

storia. Per questo il credente può aspirare a pronunciare una parola adeguata – non utopica, ma escatologica – a proposito della *sperandarum substantia rerum:* del «fondamento delle cose che si sperano», dell'*argumentum non apparentium:* della «prova di quelle che non si vedono»[11], una parola adeguata alla fede nella grazia di una vita risorta[12]. Questa parola sussurra di una visione che si spinge oltre il gesto che pone fine alla storia. È mia convinzione che la *Pietà Rondanini* sia l'estrema testimonianza di Michelangelo a questo riguardo; testimonianza della visione di cose che si sperano e che l'occhio percepisce solo *per speculum et in aenigmate:* «come in uno specchio e in maniera confusa»[13] e che, *non apparentes,* si vietano alla rappresentazione propria delle forme apparenti.

Equilibrio instabile delle forze

Torniamo ora a considerare il lavoro di Michelangelo a partire dal quadro sintetico che ho cercato di tratteggiare.

Le sue opere si costituiscono entro l'implacabile tensione di due poli opposti: la materia amorfa e la figura formata. Stando a quanto detto, la formazione della materia (come della figura stessa dell'uomo nella storia) opera dall'interno: avviene esattamente come per il destarsi di forze spirituali. Le forze spirituali infatti – si pensi all'amore, si pensi alla conversione[14] – se pure

---

[11] Cf Eb 11, 1.

[12] Decisiva la distinzione tra utopia ed escatologia: la speranza che germoglia dalla fede cristiana, infatti, non è speranza cieca che fonda in sé, nel suo pervicace attaccamento alla vita, la propria tenace fiducia in una assoluzione – di cui non è dato conoscere il luogo (utopica) – dalla tragica destinazione della storia. La speranza cristiana si fonda piuttosto sull'affidabile Iddio che compie la storia che egli stesso ha originato. Egli è in grado di offrire un compimento alla storia proprio in quanto lo riserva a sé: egli convoca a sé i luoghi e il tempo della storia in un tempo e in un luogo che tutti li trascende: il proprio (questo intendiamo con: escatologico). Offre così un compimento, un fine che non si dissolve nella fine.

[13] Cf 1 Cor 13, 12.

[14] Michelangelo, come risulta evidente alla lettura degli scritti, li accosta insistentemente mantenendosi nella scia della più classica *analogia entis* (cf infra, cap. II, nota 17).

sono suscitate dall'esterno operano dall'interno plasmando e riconfigurando l'esistenza dell'uomo.

Mentre l'opera creatrice di Dio agisce dall'esterno su una materia totalmente alla mercé della sua volontà e, fino alla creazione dell'uomo, non conosce drammi; l'opera della storia si realizza invece come dramma della libertà che agisce al suo interno e questo a causa della dimenticanza, da parte dell'uomo, dell'esatta collocazione di quest'opera posta tra la materia informe e una destinazione teologica[15]; a causa della dimenticanza dell'originaria consegna per cui l'uomo si trova a esistere dedito alla sua opera.

Michelangelo, come ogni credente consapevole di questa situazione, vive doppiamente questo dramma, vive la drammaticità della condizione della propria libertà e la drammaticità che viene dalla consapevolezza che operare per la propria salvezza comporta anche l'operare per la salvezza della storia comune degli uomini; comporta l'operare a favore del destarsi delle loro coscienze alla loro opera.

Così nei suoi lavori non c'è solo azione, ma c'è tensione drammatica che diviene sempre più evidente con l'avanzare degli anni. Le sue opere sono tutte plasmate da un irresistibile dinamismo che non conduce ad alcun punto di quiete, le cui linee di forza danno origine a innumerevoli angoli, archi, gomiti. Sono questi che determinano i giochi e i contrasti di luce e ombra[16]; questi agitano la materia nell'insolubile dialettica tra i due poli, l'informe e il formato, così che il moto si libera instancabilmente dall'informe e, ben lungi dal placarsi nel conseguimento della forma, la destina a un'inesausta mutevolezza, vietando all'osservatore stesso di riguardarla come compiutezza ove riposare, pago, lo sguardo.

---

[15] Tra il caos originario e la piena ricapitolazione di ogni cosa in Cristo (cf Ef 1, 10).
[16] È l'opposto rispetto alla pittura leonardesca e alla sua serenità fiduciosa.

Michelangelo giovane mostra una notevole fiducia nella possibilità della determinazione etica che abbiamo considerato (e quindi dell'opera in cui questa si attua, della forma che per questa si realizza), di pervenire a equilibrio nel punto esatto cui questa è destinata. Nella sua baldanza giovanile si mostra convinto del fatto che nella sua opera – e quindi nella storia degli uomini – si possa raggiungere una perfetta composizione di forze che, se non è conseguimento di una quiete stabile, è però intuizione-rappresentazione, nell'attualità dell'evento, della convergenza della storia passata e della sporgenza etica su quella futura. Intendo dire che, se è vero che ogni forma non può che essere cangiante e non può conoscere alcuna stabilità permanente, a Michelangelo giovane sembra nondimeno possibile coglierla in un punto di equilibrio instabile, in cui essa possa rivelarsi come evento conforme alla sua esatta destinazione storica. Un evento così realizzato costituirebbe l'esattezza della storia; l'opera dell'artista, così realizzata, sarebbe compimento di un gesto di redenzione della storia, per il fatto stesso di rivelarne la giustezza realizzandola. Michelangelo giovane si mostra dunque fiducioso nella possibilità di operare una giustezza della storia e quindi nella possibilità che l'umana vicenda, nella dedicazione a un tale operare, consegua una qualche giustizia.

Troviamo le tracce di questa fiducia, per esempio, nella perfezione formale del *Tondo Doni* ove la massa in movimento della Sacra Famiglia raccoglie tutta la storia dell'antichità classica, e dove il piccolo Giovanni Battista assolve lietamente, fiducioso, il compito di trait d'union tra i due piani della scena.

Possiamo forse assumere la *Pietà* di Roma come opera emblematica a questo riguardo. Si tratta del tema medievale, profondamente rielaborato, del compianto della madre su Gesù deposto dalla croce[17]: Maria è qui giovanissima, è la madre alla sua prima gravidanza, è la maternità intesa quale giovinezza perennemente feconda del mondo, ed è questa madre che tiene in grembo e mostra – in assoluta consapevolezza – il Figlio morto, il Figlio giunto alla compiuta realizzazione della sua storica vicenda. Nel gesto della madre sta la consapevolezza dell'intero evento della vita del Figlio, dalla generazione al compimento. Essa è dunque allo stesso tempo Maria dell'Annunciazione, che accoglie con un gesto carico di sgomento la consegna di questo Figlio, che accoglie la propria vocazione e con essa la vocazione dell'intera storia del mondo, che accoglie l'inaudita consegna alla propria libertà dell'atto decisivo del dramma della storia umana; ed è colei che consegna il Figlio, che con il Figlio riconsegna tutto quanto ha accolto – giunto al suo storico compimento – in una singolare riedizione del parto verginale. E che davvero vi sia un riferimento al parto verginale si evidenzia nel fatto che anche qui non ci sono segni di alcuna "fisicità", di alcuna emotività del dolore; la sofferenza riguarda un livello ben più radicale: la perfetta consapevolezza di portare in grembo l'uomo della croce che non finisce mai di compiere il gesto con cui, sceso dalla croce, si rilascia tra le sue braccia; la perfetta consapevolezza di accogliere e consegnare infinitamente il dramma di ogni figlio d'uomo, assunto nel suo grembo di madre dal Figlio di Dio che in quel grembo assume senza riserve l'intera natura umana.

---

[17] Forse la distanza cronologica e culturale che nell'immaginario comune separa Michelangelo dal Medioevo non consente di apprezzare a fondo la novità rivoluzionaria della rielaborazione michelangiolesca del tema. Più stupefacente può risultare il fatto che questa si collochi, per esempio, a soli ventisei anni dal polittico di Carlo Crivelli per la cattedrale di Ascoli Piceno, o preceda di sette anni il Compianto sul Cristo morto di Andrea Solario (Washington, National Gallery of Art), ma si potrebbe ricordare, giusto per sbirciare qua e là nei maggiori musei italiani, il Romanino dell'Accademia a Venezia, il Melone di Brera, il Mazzolino della Galleria Doria Panphilj e infiniti altri.

Le emozioni[18], che qui Michelangelo scolpisce nel perfetto equilibrio instabile della sua opera, non sono puro sentimento naturale, ma assoluta comprensione dell'evento che qui si realizza; tale evento non si risolve nel presente e di fatto Michelangelo non consegna alla storia la rappresentazione di un presente, ma rappresenta l'intuizione del "luogo" trascendente in cui si realizza l'equilibrio dell'intera vicenda, dell'intero arco della storia: della storia di Maria, della storia di Gesù, della storia dell'uomo dalla generazione alla morte, della terra – alma mater – che genera e riaccoglie, della storia di ogni maternità ricompresa nella consapevolezza del compimento.

Ma c'è una specificazione ulteriore, decisiva: tutto questo Michelangelo lo descrive nella forma del triangolo, immagine per eccellenza del Dio trinitario, suggerendo così che l'intero arco della storia si compone nel perfetto equilibrio dinamico delle relazioni divine. Queste sono origine e compimento di ogni gesto: del gesto della vocazione che determina l'accoglienza e la riconsegna di Maria, del gesto dell'opera della vita di ogni uomo, del gesto dell'abbandonarsi stesso del Figlio al grembo della madre e quindi alla carnalità della storia dell'uomo, per essere da questa e con questa riconsegnato al Padre con un atto perfettamente eucaristico.

Questa Pietà non è descrizione di un compianto sul Cristo morto, non vuole ispirare sentimenti di pietà e di commozione, è piuttosto testimonianza di una lucida comprensione cristiana dell'esistenza e a questa vuole condurre; in questa prospettiva si concentra sulla madre, sulla maternità portata ad assoluta consapevolezza, quale archetipo dell'atto di ogni umana generazione ricompresa entro la cristiana comprensione dell'origine e del compimento, comprensione che discende

---

[18] Dico emozioni in riferimento alla radice di movimento contenuta in *ex moveo* e non nel senso più corrente di sentimento.

esclusivamente dalla contemplazione credente della vicenda storica del Figlio di Dio e dall'intelligenza che questa genera.

Al centro sta dunque la madre, la madre che è Maria, la madre che è ogni madre, la madre che è l'origine e il compimento intesi in prospettiva etica, la madre che è la storia, in relazione al mistero della morte, inseparabile com'è dal mistero della nascita; la madre intesa come mistero della storia, dall'origine al compimento, compresa nel Dio trinitario; la madre così come questa è chiamata a comprendersi in Dio proprio quale origine che accoglie e compimento che riconsegna.

È dunque Michelangelo giovane che comprende la propria opera come opera di origine e di compimento, di accoglimento e di riconsegna; opera del dramma storico che in Dio aspira a conseguire la propria attuale, attuantesi, perfezione: la giustezza del proprio equilibrio formale, la giustizia del proprio storico accadere[19].

Certamente proprio il parlare di nascita e di morte, di origine e di compimento in Dio, esclude che nella vicenda dell'uomo si possa realizzare un punto di stasi, di equilibrio stabile o indifferente, eppure l'evento può manifestare in actu il realizzarsi della redenzione dell'uomo nel concorso della libertà con la storia cristianamente intesa come storia di salvezza.

La *Pietà* di Roma si presenta così come il trionfo del "finito" nell'opera scultorea di Michelangelo; questa perfetta finitezza però, stando a quanto detto, non ha nulla a che fare con l'equilibrata compiutezza della rappresentazione di un avvenimento storico o naturale, non può essere contrapposta ai Prigioni, per esempio, come un'opera finita a un'opera incompiuta, né alla *Pietà Rondanini* come si contrappongono giovanile baldanza e determinazione all'estenuarsi incerto di

---

[19] Sulla distinzione tra giustizia e giustezza cf P. LIA, *Libertà incantata e trascendenza, note per una fenomenologia della coscienza credente*, Milano 1995, p. 193 ss.

una vecchiaia troppo a lungo protrattasi; questa perfetta finitezza trascende il reale non meno di quanto lo trascenda il non finito, trasgredisce i sentimenti e la natura non meno di quanto nelle sue opere lo faccia la materia appena sgrossata e il mistero che l'agita. Finito e non finito, entrambi indocili, estranei alla parola che semplicemente, naturalmente racconta, descrive, analizza; entrambi consacrati a testimoniare la consapevolezza del mistero dell'umana esistenza, il suo dramma, la sua intelligenza credente tanto più lungimirante di quanto non lo siano gli occhi e il sentire della carne.

La salvezza come "oltre" della storia

Con il passare degli anni la consapevolezza michelangiolesca del dramma dell'umana libertà, del dramma dell'umana ottusità, va via via crescendo, mentre scema la presunzione che punti di equilibrio possano essere effettivamente raggiunti, che l'opera dell'uomo possa cioè vedere realizzata quella redenzione per cui si affatica: seppur in questa opera un uomo può conseguire la giustezza della propria storia, difficilmente egli potrà vedervi realizzata una qualche forma di giustizia, tanto per sé quanto per gli altri, intendendo con questo che il compimento che rende giustizia all'attività dell'uomo, mostrando il compiersi della redenzione, della giustificazione della storia, non appartiene alla storia dell'uomo stesso. Michelangelo, dunque, si mostra sempre meno fiducioso nella possibilità di vedere storicamente realizzato un compimento in cui si mostri che c'è giustizia nel mondo, che al retto operare consegue una qualche forma di giustizia storicamente godibile, e che quindi il suo stesso operare artistico, e l'opera di qualunque altro genio appassionato dei destini dell'uomo e del mondo, possa produrre una realizzazione storicamente apprezzabile della giustizia che giustifichi il quotidiano dramma della vita.

La storia gli appare sempre più come luogo di contraddizione, non solo luogo del concorso delle forze, ma piuttosto del loro scontro, e questo sia per quanto attiene la vicenda delle relazioni tra gli uomini, sia per quanto riguarda se stesso e il proprio personale cammino ove si scontrano – per dirlo con san Paolo – «il bene che voglio e il male che non voglio»[20] e che continua a imporsi. «Sono uno sventurato! – esclama l'Apostolo – chi mi libererà?».

Questa esclamazione e questa invocazione, con il passare degli anni, sembrano incidere in modo sempre più profondo le sculture di Michelangelo, sembrano determinare in modo sempre più consistente il tracciato del suo disegno, l'impasto e i riflessi del suo colore, l'aspra scrittura dei suoi versi, nella progressione di un approfondimento che si spinge fino alla contemplazione testimoniata dalla grande scena del *Giudizio universale*.

Ed ecco che Michelangelo, uomo del '500, erede e interprete del suo tempo, a motivo dell'affermarsi crescente di questa consapevolezza, si riconosce sempre più lucidamente al centro di un dramma cosmico. Centro da cui misura la sua solitudine, esasperata dall'irrinunciabilità dell'opera che gli è consegnata in compito e dal senso della propria impotenza.

Una condizione di tal genere potrebbe portare alla disperazione e certamente Michelangelo si è misurato dolorosamente con la drammaticità della propria esistenza e della vicenda che tesse il tempo degli uomini; i suoi scritti testimoniano momenti di sconforto e doloroso anelito alla salvezza. Tutto questo ha per alcuni versi inasprito certi tratti duri e aspri della sua personalità e lo ha reso spesso insofferente nei confronti di persone e situazioni con cui veniva a misurarsi; scostante addirittura nei confronti dei suoi "committenti",

---

[20] Cf Rm 7, 14-25.

cui non rinunciava a mostrare la propria indocilità e a imporre l'alto profilo della propria visione, incurante del gusto e degli interessi dominanti, sarcastico nei confronti delle critiche dei benpensanti.

Ma non è questo il registro che s'impone alla sua coscienza e che determina il suo percorso di approfondimento spirituale. A fronte della consapevolezza della fragilità degli umani conseguimenti, si afferma in lui la speranza nel «Figlio di Dio che mi ha amato e ha dato se stesso per me» (Gal 2, 20); per questa speranza si affaccia alla sua opera una nuova forza, cui l'artista riconosce un ruolo decisivo nel compimento della vocazione dell'uomo: la misericordia. La misericordia assolve a un ruolo diverso rispetto a quello determinato dalle forze che plasmano la storia, occupa un "luogo" diverso rispetto a queste: non riguarda per così dire l'*actio*: il complesso delle azioni che determinano la trama della storia. La misericordia si colloca immediatamente oltre, come gesto di incondizionata accoglienza da parte di Dio dell'opera della storia una volta compiuta; gesto di misteriosa tenerezza per la riconsegna dell'opera intera della storia nelle sue mani.

Non c'è nulla nella vicenda umana che ci consenta di configurarci la misericordia; in tale vicenda infatti l'uomo è solo azione, conosce solo forze in continua tensione; in essa il credente può al massimo figurarsi l'opera di Dio creatore e definitore dell'intera opera del cosmo, può intuire Dio quale misura originaria e ultima di tutte le misure e dei movimenti che ne declinano le relazioni; l'uomo nella sua coscienza storica non può spingersi oltre. La sua raffigurazione ha come limite il gesto del *Giudizio universale*. Eppure la coscienza cristiana intravede oltre; essa infatti non è semplicemente una coscienza religiosa; la coscienza cristiana non crede semplicemente «nel Dio che ha fatto il mondo e tutto ciò che contiene, [...]

che dà a tutti la vita e il respiro a ogni cosa»[21], la coscienza cristiana è quella coscienza che si accende alla fede per la scoperta del Figlio di Dio che ci ha amati fino a dare la vita per noi. Questa consapevolezza introduce la storia in un'altra prospettiva che le è propriamente estranea, questa consapevolezza conosce l'irruzione entro la storia di una misura, di una forza che si sottrae a ogni rapporto di forza, che si consegna assolutamente perdente per compiere la sua inaudita vittoria solo lì dove la libertà dell'uomo, abbandonata ogni tensione, le si consegna incondizionatamente, solo lì dove in tutta libertà un uomo consegna l'opera della sua vita.

Destino ultimo della storia non è il compimento dell'arco storico-teologico inscritto nella *Pietà* di Roma, quanto piuttosto la sua riconsegna a Dio. Il senso teologico vocazionale di questa riconsegna, cui già l'opera di gioventù allude chiaramente, si approfondisce nella coscienza cristiana di Michelangelo fino a diventare assolutamente determinante al termine della sua vita.

La *Pietà Rondanini* è l'opera che esprime il vertice della speranza cristiana così intesa: la soglia della morte che Michelangelo insistentemente rappresenta – si pensi alla soglia su cui siedono pensosi, nelle *Cappelle Medicee,* Giuliano e Lorenzo de' Medici, o ai *Prigioni* stessi – è nell'opera estrema in certo modo sorpassata. Questa si colloca, o forse meglio affiora, da oltre tale soglia; come in visione, per essa si traguarda verso là dove il Crocifisso si solleva dalla morte, estrema visione della speranza cristiana verso il punto dove i legacci che ne hanno tenuto avvinta l'esistenza sono definitivamente sciolti[22].

L'architettura della sacrestia delle *Cappelle Medicee* come pure quella della *Biblioteca Laurenziana* suggerisce che per Mi-

---

[21] Cf At 17, 24-25.
[22] Lo riprenderò più oltre.

chelangelo lo spazio della vita è come un cortile interno, come un *locus conclusus,* le soglie conducono a un "esterno" che dall'interno non può essere decifrato, ma che suggerisce insistentemente la sua presenza e che in certo senso s'impone in modo quasi ossessivo alla coscienza dell'osservatore non distratto: realtà misteriosa, presenza incombente di un ignoto, di un "fuori" che non ha nulla a che fare con il mondo naturale, con "l'aperto". A esso le porte e le finestre richiamano senza lasciarlo vedere, vi alludono – nella sacrestia delle *Cappelle Medicee* – le statue dei momenti del giorno con il loro non finito e la loro provocante eccedenza rispetto ai sarcofagi. A questo riguardo possiamo anche osservare, sia pure di sfuggita, come il volto del *Giorno* compaia finito solo nella *Notte,* ma ormai sfigurato – in maschera –, richiamando in certo modo la "maschera" di Michelangelo stesso, portata da san Bartolomeo verso il Cristo del *Giudizio universale* – memoria del martirio che ha compiuto la sua vita terrena –. La *Notte,* così come la morte, è il luogo dell'opera compiuta, della fine delle forze che sono la vita, che tengono in vita trasfigurando continuamente l'opera della vita medesima; perciò Michelangelo la descrive con il massimo della finitezza e in questo è l'opposto del *Giorno* il cui volto potrà essere completamente svelato solo allorché sarà tramontato.

Il giudizio come atto estremo della storia

Quando Michelangelo torna a Roma per lavorare al *Giudizio universale* l'approfondimento della sua consapevolezza riguardo alla storia è in certo modo compiuto[23]. La sua attenzione vivace, la dedicazione costante del suo genio all'intelligenza della vicenda in cui si riconosceva protagonista di pri-

---

[23] Il lavoro gli viene commissionato da Clemente VII nel 1534 e la commissione gli viene rinnovata dal successore Paolo III. L'opera, cominciata nel 1536, sarà conclusa nel 1541.

mo piano, si sono misurate con la misera fine delle speranze di riforma politica di Firenze[24], con il tramonto dell'ideale umanistico di libertà, con la dissoluzione dell'immaginario di portata cosmica rappresentato da Roma nella sua identità di *caput orbis*, travolta dal sacco del 1527. Il Michelangelo che lavora al *Giudizio universale* porta coscientemente il peso di questa consapevolezza che abbiamo più sopra considerata. Tenendo presente tutto ciò, soffermiamoci dunque con maggior attenzione su quest'opera cui abbiamo già più volte fatto riferimento.

Al suo centro dinamico il gesto del Cristo, gesto che imprime il movimento a tutta la scena, raccogliendo in sé il principio di ogni forza cosmica, esercitando la pienezza dell'autorità, manifestandosi perfettamente e irresistibilmente quale misura di ogni misura, di ogni gesto, di ogni opera.

Questo gesto poderoso che Michelangelo rappresenta, costituisce la fine della storia del cosmo creato. Essa non può avere altra fine che un gesto commisurato – qualitativamente corrispondente – al gesto che le ha dato principio. La forza di Dio che ha avviato i mondi ne decreta il completamento. Dal punto di vista della storia, che guarda alla propria compiutezza, dal punto di vista dei gesti e delle opere dell'uomo nello spazio misurato da questi due gesti di Dio, non esiste alternativa a questa immagine che Michelangelo prefigura: l'intenzione, la forza stessa di Dio da una parte e la massa storico-cosmica dall'altra, nell'atto che la destina alla sua forma definitiva.

Non esiste nessuna certezza prima che tutto sia compiuto, prima che il gesto che compie l'opera non abbia perfettamente realizzato l'intenzione per cui opera. Questo è molto importante da osservare: la visione che Michelangelo ci offre è la soglia,

---

[24] Il 12 agosto 1530, dopo dieci mesi di assedio da parte delle truppe imperiali, cade la repubblica popolare di Firenze che aveva preso vita nel maggio del 1527.

risponde alla prospettiva propria del *locus conclusus*, è l'estrema intuizione che la coscienza storica può avere della soglia, de «la fine conforme all'umana vicenda». Per questo anche i giusti sono ancora attraversati dall'estremo fremito: il compimento appartiene solo a Dio. Questo Michelangelo ha dolorosamente ma certissimamente scoperto: il compimento non è puro, logico, conseguente, matematico prodotto dell'opera della storia; la sospensione dei giusti riconosce solo a Dio il diritto della parola estrema che dalla storia non può in alcun modo essere anticipata. A questo atto del libero volere di Dio che conclude la vicenda del tempo, Michelangelo stesso si presenta dunque scarnificato e "in maschera" al termine del suo giorno, come già accennavo poco sopra a proposito delle statue delle *Cappelle Medicee*.

Di fronte all'atto estremo di Dio tutto il resto non è che "materia" coinvolta nell'azione-rivelazione di una forma che si configurerà come giustizia suprema. Forma "cavata" dalla materia della storia universale: estremo "prigione". Cristo Dio, artista supremo, solo, realizza l'opera definitiva. Ma quest'opera definitiva, indeducibile atto della libertà di Dio stesso, nessun uomo può vederla in anticipo, neppure il credente, neppure il santo; neppure l'artista può immaginarla, perché appartiene totalmente all'intenzione di Dio che nessuno può scrutare finché non si sia liberamente realizzata. Egli può solo raffigurare la materia cosmica sottoposta a tale azione e collocarsi con tutta la creazione nel vortice provocato da quel gesto definitivo: indefinitamente sospeso – nel *pathos* estremo – con coloro che la sua coscienza storica immagina destinati alla beatitudine. A essi affida la sua vita, consunta in un ultimo gesto di speranza conforme alla storia[25].

---

[25] Famosamente rappresentato nella pelle che san Bartolomeo si trascina appresso quale testimone del suo martirio. Confessione forse, da parte di Michelangelo, del "martirio" che fu il "suo giorno passato", per ciò stesso viatico per quello futuro.

Con questo grande affresco, sostanzialmente la storia esce dalla scena dell'opera michelangiolesca.

La misericordia come gesto del compimento in Dio

Gli affreschi che Michelangelo realizza per la *Cappella Paolina* hanno per temi la conversione di san Paolo e il martirio di san Pietro[26] e si presentano con caratteri ben diversi da quelli del *Giudizio universale:* il non finito innanzitutto, che caratterizza qui gli scorci di paesaggio ridotti a sagome essenziali così simili alle sculture coeve; il nuovo uso dei colori ora "sbiaditi" ora duri e aspri come le sue *Rime.* È in questo periodo che possiamo constatare la maggiore prossimità tra le opere e la poesia.

Michelangelo vecchio ha come esaurito il lessico vigoroso della storia, dell'idea, il lessico della decisa consapevolezza etica; la sua parola sembra sempre più sussurrata: la radicalità del mistero di Dio che sta di fronte all'esistenza dell'uomo lo introduce in una dimensione che esige altre parole, parole capaci di misurarsi con l'ineffabile cui il lessico dell'uomo può solo alludere.

Michelangelo che non può tacere, fedele all'opera della sua vita, deve lasciare che questa esperienza trasfiguri le sue parole. Dopo aver vissuto solo, ora ancor più radicalmente solo, si dispone al definitivo linguaggio, si dispone a lasciar trasfigurare i sensi e le parole come san Paolo caduto da cavallo, e ad assumere come san Pietro crocifisso, nell'atto della morte, la *forma Christi*: la forma di Cristo cui è chiamato, pur in tutta l'ambiguità cui la coscienza umana consapevolmente si piega.

Questa definitiva parola che Michelangelo si appresta a pronunciare è, così, necessariamente rivolta a se stesso. La

---

[26] Conversione e martirio sono temi sempre più ricorrenti nelle sue liriche in questa ultima fase della sua vita, rivelando la radicalità cui era giunta la sua coscienza credente.

Pietà Rondanini è la parola per la sua stessa tomba: parola ultima ed estrema della sua vita, che compie la sua opera compiendo l'opera della sua stessa vita; parola che chiude la storia all'atto in cui chiude la propria storia, per questo – coerentemente con quanto ha guidato la sua intera vicenda – non può che riguardare lui stesso proprio mentre è parola in cui egli riconosce la Parola che compie la vita dell'uomo. È parola che annuncia il compimento raccogliendo l'origine, che si realizza come atto estremo proprio in quanto consegna all'atto estremo, specularmente identico all'atto primo dell'esistere, quell'atto assolutamente originario e indeducibile che ci consegna al compito, all'opera, all'etica necessità di esistere.

Questa parola, questo evento, è visto, è misticamente contemplato nel "luogo" che segue immediatamente la parola che pone fine alla storia di un uomo, la parola della morte. Riguarda un evento che non concerne l'opera della storia e la sua misura, ma riguarda l'opera della misericordia e la sua incomprensibile incommensurabilità. Là dove l'occhio dell'uomo, commisurato alla sua storica vicenda, non è più in grado di vedere, il credente che ha visto e conosciuto il balenare nella storia degli uomini della parola della misericordia, può come intravedere il mistero della misericordia che compie la storia costituendone il fine trascendente, che fa apparire la parola della fine quale parola penultima.

Il credente solo, Michelangelo cristiano dunque, una volta disappropriatosi delle sue parole, accoglie una parola diversa, quella del Dio che è giunto fino al fondo della storia, alla piena consumazione della vita, al limite ultimo della vicenda creata, che è giunto fino alla morte e ne ha attraversato la soglia. Accoglie la parola di un Dio che ha pronunciato tutte le parole del lessico dell'uomo fino all'ultima sillaba, fino alla sillaba estrema, fino alla riconsegna dello spirito stesso, per farne risuonare, ora, una che è prima e ultima, capace di farsi carico di ogni parola umana trasfigurandola a sua immagine, redimendola senza tradirla.

Questa parola il credente non la può conoscere ancora, perfettamente pronunciata, ma ne ha la speranza certa, la speranza fondata sulla promettente contemplazione del Figlio di Dio che ci ha amati fino a dare la sua stessa vita per noi. La può così in qualche modo anticipare, ancora per *speculum et in aenigmate:* «come in uno specchio e in maniera confusa»[27], mentre con questa speranza si appresta ad attraversare a sua volta la soglia della morte per giungere, secondo la promessa, dove saremo come egli è[28], a sua immagine, dove lo vedremo faccia a faccia[29].

Questa parola, dunque, Michelangelo comincia a sussurrare – suprema parola di speranza cristiana –, assumendo una prospettiva che non è più quella che approda all'ultimo giudizio, ma quella che si allarga da oltre la cortina che divide il tempo della storia dal luogo di Dio. Qui il Crocifisso, colui che era morto, si sta sollevando[30] e il suo volto è quello del figlio dell'uomo, di questo figlio dell'uomo; e sollevandosi egli si fa carico dell'origine stessa, della natura e della storia che hanno condotto questo uomo fino a lì. Cadono gli ultimi legacci e le ben definite parole della terra trasfigurano e trascolorano in un'ineffabile parola che è tutta di Dio, ma che porta per sempre le tracce del nome dell'uomo; in un'inedita immagine che è tutta di Dio, ma che porta per l'eternità i tratti del volto dell'uomo.

È dunque giunto decisamente il momento di analizzare attentamente quest'*opus ultimum* di Michelangelo cui ci ha condotti tutto il cammino compiuto fin qui.

---

[27] Cf 1 Cor 13, 12.
[28] Cf 1 Gv 3, 2.
[29] Cf 1 Cor 13, 12.
[30] Il greco, per la risurrezione di Gesù, oltre a *egeirein* (risvegliare, risvegliarsi) usa proprio *anistèmi e anastènai* (far levare, levarsi). Questo significato ha prevalso nelle lingue moderne.

Per che 'l mio viso in lei tutto era messo

Osservando

Cominciamo dunque col descrivere alcuni elementi che caratterizzano la *Pietà Rondanini*[1], opera che ha "accompagnato" l'ultimo tratto della vita di Michelangelo divenendo così erede naturale della sua più profonda meditazione sulla morte, riguardata, questa, alla luce della fede nel mistero cristiano della morte del Signore.

Innanzitutto, per quanto detto fin qui, non abbiamo elementi per poter chiamare il non compiuto "incompiuto", spingendoci a interpretare la *Pietà Rondanini* in relazione a un immaginario "compimento".

Qui il non compiuto riguarda la gran parte del lavoro: la parte compiuta si concentra nella zona inferiore, e più precisamente nelle gambe di Gesù, e sfuma a partire dalla regione in-

---

[1] Sulle vicende che hanno segnato il progressivo sviluppo della *Pietà Rondanini* e del progetto di Michelangelo che la riguarda, sono stati fatti ampi e accurati studi di cui ho riportato qualche riferimento essenziale nella nota 10 dell'Introduzione. Sinteticamente mi limito a rilevare che Michelangelo lavorò molto a lungo attorno a questo marmo. Alcune fasi di elaborazione del progetto sono documentate anche dal foglio autografo con "Studi per la Pietà" conservato all'Ashmolean Museum di Oxford. La realizzazione dell'opera doveva essere già a buon punto – come documenta il braccio che vediamo alla destra delle due figure e la testa del Cristo ritrovata in anni recenti (cf B. Mantura, *Il primo Cristo della Pietà Rondanini*, cit.) – quando Michelangelo, spinto da un ulteriore, decisivo approfondimento della sua riflessione, decise di intervenire drasticamente sul lavoro compiuto trasformandolo nel modo che noi possiamo vedere. Considerata la radicalità dell'intervento e la bellezza delle parti soppresse, pur in assenza di documentazione esplicita a riguardo, è molto difficile ritenere che il braccio conservato non avesse per Michelangelo un ruolo di rilievo per la comprensione della nuova elaborazione.

guinale. Vi è inoltre un braccio, non appartenente né a Gesù né alla donna alle sue spalle, perfettamente compiuto nella parte anteriore e ancora "imprigionato" nella parte posteriore. Il blocco del braccio, che nella parte alta è isolato dalla massa delle due figure, è però assicurato a esse da un elemento di raccordo conservato all'altezza del gomito; osservata di profilo la sagoma del blocco del braccio si inscrive perfettamente nella sagoma a "falce di luna" che racchiude l'intera scultura. Il braccio appare rilasciato, abbandonato. Il braccio del Cristo così come doveva essere nella precedente fase di esecuzione, assolve in questa un ruolo affatto differente che considererò tra poco. Per ora, in via d'osservazione, mi limito a rilevare che la mano non ha le stigmate pur essendo perfettamente finita.

Sempre osservando i profili notiamo che la "falce di luna" ha due punti di forza: uno rappresentato dal gravare della donna sulle spalle di Gesù, l'altro nella strana spinta verso l'alto esercitata dalle gambe di lui.

Al di là di una prima impressione, noi non ci troviamo di fronte a una deposizione o a una Pietà: Gesù non è né deposto né sorretto, anzi le sue braccia si portano dietro come ad avvolgere le gambe di quella che da qui in poi chiameremo "la madre"; questa, a sua volta, non sta sostenendo il Figlio, ma gli sta piuttosto gravando sulle spalle. La madre si trova su un piano notevolmente superiore a quello su cui appoggiano i piedi del Figlio. Questi sembra germogliare dalla terra, che si apre a valva.

La madre nella parte posteriore ha dei lacci allentati. Questi sono ricorrenti nelle sculture di Michelangelo e dovremo occuparci di loro in un confronto sia con altre opere scultoree sia con alcune liriche; per ora ci limitiamo dunque a registrarne la presenza che rischia di passare inosservata.

Si deve constatare che i genitali di Gesù non sono semplicemente incompiuti, ma non potrebbero esserlo in nessun

44

caso per mancanza di materia. Allo stesso modo il busto è già scavato oltre misura e in nessun caso potrebbe trasformarsi in uno di quei busti modellati in masse vigorose cui Michelangelo ci ha abituati[2].

Anche in questo caso i tratti del volto della madre sono evidentemente quelli di una giovane donna. Il volto del Figlio richiama invece il volto di Michelangelo stesso: il naso è indubitabilmente un naso schiacciato e non avrebbe potuto definirsi successivamente secondo un profilo più consueto.

Le *Rime*

Come è noto, Michelangelo ha consegnato tracce del proprio cammino, sprazzi del proprio pensiero, dei propri sentimenti e anche delle proprie riflessioni, a *Rime* di vario genere che in più di un'occasione ha mostrato di tenere molto care.

In esse ritroviamo la sua personalità dai tratti un po' aspri[3], ma anche il vigore etico, la volontà raffinata e tesa che modella le sue figure. Vi ritroviamo poi i temi della sua esistenza: il tema dell'amore che si snoda – come in Dante – dal più umano al più divino, da Vittoria Colonna a Dio, senza nulla rinnegare, trasfigurando... *trasumanando*. Vi troviamo il tema della fede, della lotta contro il peccato, della contrizione, della conversione. Vi troviamo il tema della morte e della redenzione, il tema dell'arte e quello del giudizio.

Le *Rime* sono dunque un riferimento decisivo per la comprensione di Michelangelo; devono essere accolte unitamente alla sua opera di scultore, di pittore, di architetto, perché ci sono consegnate da lui stesso, intenzionalmente, *in unum* con

---

[2] A un modellato di questo genere Michelangelo ha intenzionalmente rinunciato in una fase avanzata dei lavori, come mostrano il progetto di Oxford e la ricostruzione compiuta a partire dal ritrovamento della testa.

[3] La personalità che si esprime altrimenti nei colpi di scalpello del non finito.

l'opera che è la sua stessa vita[4]. In esse, in altro modo risuona quell'assenso personalissimo alla propria vocazione da cui è scaturita l'intera sua opera, l'acconsentimento a destinare l'intera esistenza a realizzare un cosmo, un universo ordinato a Dio, all'Artefice primo e ultimo.

Mi soffermo qui a considerare almeno alcuni versi, spigolati tra le *Rime* dell'ultimo periodo della sua vita.

In esse è espressa chiaramente la consapevolezza della qualità specifica della propria opera; un'opera in cui l'umana libertà ha per interlocutore unico, ormai, Dio stesso. Il Dio che non cessa di suscitare l'opera della storia, ma che mostra di riservare a sé il suo compimento, per realizzarlo in una "parola" ulteriore rispetto all'evidenza storica stessa. A questa "parola" divina, il lessico dell'artista può solamente alludere, sporgendosi al limite dell'ineffabile; spinto dalla drammatica consapevolezza che una parola deve pur essere detta, dato l'atto originario in cui la vocazione divina lo ha costituito suo interlocutore.

Tu mi da' quel c'ognor t'avanza
e vuo' da me le cose che non sono (270)[5].

Con tanta servitù, con tanto tedio
e con falsi concetti e gran periglio
dell'alma, a sculpir qui cose divine (282).

---

[4] I suoi contemporanei stessi, del resto, lo apprezzarono anche per la sua arte poetica che il Vasari così ricorda già nelle prime battute delle pagine che dedica alla Vita di Michelagnolo Buonarruoti: «... il benignissimo Rettore del cielo [...] per cavarci di tanti errori si dispose di mandare in terra uno spirito, che universalmente in ciascheduna arte e in ogni professione fusse abile, operando per sé solo a mostrare che cosa sia la perfezione dell'arte del disegno nel lineare, dintornare, ombrare e lumeggiare, per dare rilievo alle cose della pittura, e con retto giudizio operare nella scultura, e rendere le abitazioni comode e sicure, sane, allegre, proporzionate e ricche di varii ornamenti nell'architettura. Volle oltra ciò accompagnarlo della vera filosofia morale, con l'ornamento della dolce poesia, acciò che il mondo lo eleggesse e ammirasse per suo singolarissimo specchio nella vita, nelle opere, nella santità dei costumi e in tutte l'azzioni umane, e perché da noi più tosto celeste che serena cosa si nominasse».

[5] Accanto al testo di questo distico è disegnata a penna una gamba del Cristo del *Giudizio universale*.

E sovviene qui: «O voi che siete in piccioletta barca...»[6] e quindi l'intera *Commedia* in cui Dante poeta testimonia la sua esperienza spirituale, riconoscendo che l'itinerario di salvazione – che è l'opera stessa della vita e che dà forma all'opera della sua vita – è ciò nondimeno *periglio dell'anima*.

Non meno segnata da echi danteschi[7] anche quest'altra rima che esprime la consapevolezza del compito connesso al proprio "alto ingegno", cui è data la grazia singolare di scorgere nella varietà della storia il rivelarsi di Dio. Tale rivelazione è, per chi la scorge, invito irresistibile alla sequela, provocazione etica a un cammino dietro tale guida e tale luce.

Se sempre è solo e un quel che sol muove
il tutto per l'altezza e per traverso,
non sempre a no' si mostra per un verso,
ma più e men quante suo grazia piove.

A men d'un modo e d'altri in ogni altrove:
più e men chiaro o più lucente e terso,
secondo l'egritudin, che disperso
ha l'intelletto a le divine pruove.

Nel cor ch'è più capace più s'appiglia,
se dir si può, 'l suo volto e il suo valore;
e di quel fassi sol guida e lucerna.

[...]
truova conforme a la suo parte interna (273).

Il poeta che scrive questi versi è dunque l'artista che dipinge il *Giudizio universale*, il genio cristiano «ch'è più capace» e che, alla luce di ciò che contempla e cui intimamente obbedi-

---

[6] Cf Dante Alighieri, *Paradiso*, II, 1.

[7] Si veda, per esempio, l'inizio del *Paradiso*.

sce, testimonia per tutti gli altri la sua visione del «solo e un quel che sol muove il tutto per l'altezza e per traverso».

Dante maestro e fratello

Apro qui una rapida ma importante parentesi: a parer mio il confronto con Dante, per quanto riguarda l'esperienza poetica di Michelangelo, è confronto obbligato. L'intera lettura delle *Rime* rivela un consapevole riferimento al grande poeta fiorentino; la qual cosa, se è già molto evidente nelle *Rime* dedicate a Vittoria Colonna[8], diviene addirittura esplicita citazione o parafrasi della *Commedia* a commento della propria opera o di qualche lavoro particolare. Credo che, pur tenuto conto dei duecento anni che lo separavano dal poeta, Michelangelo riconoscesse in lui un maestro – egli non aveva compagni nel suo cammino solitario – per la realizzazione dell'opera cristiana della sua vita.

Leggiamo per esempio questo notissimo sonetto:

Giunto è già 'l corso della vita mia,
con tempestoso mar, per fragil barca,
al comun porto, ov'a render si varca
conto e ragion d'ogni opra trista e pia.

Onde l'affettüosa fantasia
che l'arte mi fece idol e monarca
conosco or ben com'era d'error carca
e quel c'a mal suo grado ogn'uom desia.

Gli amorosi pensier, già vani e lieti,
che fien or, s'a duo morte m'avvicino?
D'una so 'l certo, e l'altra mi minaccia.

---

[8] Cf, per esempio, 229.

Né pinger né scolpir fie più che quieti
l'anima, volta a quell'amor divino
c'aperse, a prender noi, 'n croce le braccia (285).

Rilevo dunque una prossimità spirituale dei due, che Michelangelo mostra di aver percepito e che gli ha fatto guardare a Dante come a nessun altro "maestro", o forse sarebbe meglio dire "testimone".

Certo, Michelangelo vive una ben diversa temperie culturale che lo costringe in una più radicale e drammatica solitudine: il suo universo antropologico è forse meno ordinato di quello di Dante, inoltre egli è cresciuto nella percezione dell'eccellenza del ruolo della libertà dell'individuo e nell'opera che dà forma al "cosmo storico" in cui si realizza l'esistenza dell'uomo; sa, Michelangelo, della responsabilità che compete alla libertà singolare nell'opera che riscatta la materia informe, che plasma la materia stessa della vita. Ma, non meno di Dante, Michelangelo è cresciuto "al cospetto dell'Altissimo" e, in modo sempre più consapevole ed esplicito, ha percepito come l'opera della storia fosse collocata entro l'opera assoluta di Dio, il cosmo storico entro il cosmo assoluto, l'ordine cangiante declinato nel lessico cangiante, fragile e aspro dell'uomo, entro l'ordine perfetto disposto dalla Parola per eccellenza, la parola dell'umana risposta suscitata dalla Parola assoluta della vocazione divina. Dialogo sorprendente di parole impari.

Michelangelo, non meno di Dante consapevole dell'altezza della sua opera, del suo *alto ingegno,* patisce forse più del poeta fiorentino la crescente percezione della fragilità dei conseguimenti storici. Per una strana sorta di prossimità vede egli pure naufragare la repubblica fiorentina e vede il sacco di Roma del 1527, vede l'esito devastante delle guerre di religione, soffre in modo lacerante le vicende del *Monumento funebre a Giulio II* nel quale s'ingegna a raccogliere il proprio pensiero artistico, religioso e politico.

Michelangelo si trovava così ad affrontare l'ultimo tratto della sua vita con una sempre più dolorosa percezione che sulla sua opera, pur determinata da un compito storico-teologico, gravasse un destino quanto mai incerto; nella controversa, dolorosa convinzione che, se una sempre più profonda dedicazione e concentrazione spirituale doveva caratterizzare il suo giungere al porto della vita, questa non poteva in alcun caso prescindere dal suo lavoro diuturno di artista a un'opera sempre più esposta a fraintendimenti e incomprensioni.

Accade così che Michelangelo mostra di voler prendere sempre più le distanze dal *pathos* possente che caratterizza le sue opere fino al *Giudizio universale*. La fiducia del suo genio artistico nella propria possibilità di governare e indirizzare le forze che riscattano la materia e la storia viene in certo modo abbandonata o, più propriamente, viene consegnata a quel gesto estremo della storia del cosmo con cui il Cristo governa perfettamente le masse del *Giudizio universale*. Il vecchio artista può ora dedicarsi alla ricerca di una "parola" più consona all'ineffabile parola di Dio che il credente percepisce risuonare nella morte.

Al Dante del *Convivio* segue il Dante della *Commedia*. Questi non usa più la parola e la sua arte per ammaestrare direttamente, "didatticamente", il suo mondo, ma per seguire e testimoniare l'itinerario spirituale che va dall'umano al divino. La qual cosa non significa abbandono dell'umano e della vicenda dell'uomo, quanto piuttosto il suo riscatto entro l'ordine di Dio, la sua ascesa dalla *storia delle passioni* alla *passione* che fa della vicenda dell'uomo una storia di salvezza. E come nella *Commedia* il lessico dell'Inferno narra vicende e descrive figure con una precisione vivace e vigorosa che ricorda al lettore il perfetto finito michelangiolesco, il

51

Paradiso usa un lessico trasfigurato che porta consapevolmente l'onere di esprimere e di testimoniare l'ineffabile. Ma il volto dell'uomo stesso non ha come originario destino d'essere immagine del volto di Dio? Così in Michelangelo il non finito non è più la materia da cui le forme emergono e cui pagano incessantemente il debito dell'origine, com'è della parola dell'adulto nei confronti della lallazione dell'infante; il non finito diviene qui l'estrema evoluzione del lessico dell'uomo che manifesta e testimonia il proprio credito nei confronti della Parola prima e ultima che lo ha originariamente chiamato al dialogo e che qui echeggia la propria imminente, definitiva prossimità.

Raccolgo qui alcune *Rime* che possono in certo modo tratteggiare il percorso che ho segnalato.

La nuova beltà d'una
mi sprona, sfrena e sferza;
né sol passato è terza[9],
ma nona e vespro, e prossim'è la sera.
Mie parto e mie fortuna,
l'un co' la morte scherza,
né l'altra dar mi può qui pace intera[10].
I' c'accordato m'era
col capo bianco e co' molt'anni insieme,
già l'arra in man tene' dell'altra vita,
qual ne promette un ben contrito core[11].
Più perde chi men teme
nell'ultima partita,

---

[9] Terza, sesta e nona sono le ore canoniche che scandiscono l'avanzare del giorno verso il vespro.

[10] La vita che ha preso inizio con la nascita si misura ormai con la morte e la mia "fortuna" non basta a darmi pace.

[11] Io che avevo imparato a convivere in armonia con i capelli bianchi e i miei molti anni, già tenevo pronta in mano quella caparra per l'altra vita che un cuore contrito promette.

fidando sé nel suo proprio valore
contr'a l'usato ardore:
s'a la memoria sol resta l'orecchio,
non giova, senza grazia, l'esser vecchio[12] (263).

Di te con teco, Amor, molt'anni sono
nutrito ho l'alma e, se non tutto, in parte
il corpo ancora; e con mirabil arte
con la speme il desir m'ha fatto buono.

Or, lasso, alzo il pensier con l'alie e sprono
me stesso in più sicura nobil parte.
Le tuo promesse indarno delle carte
e del tuo onor, di che piango e ragiono[13] (271).

Non può, Signor mie car, la fresca e verde
età sentir, quant'a l'ultimo passo
si cangia gusto, amor, voglie e pensieri.

Più l'alma acquista ove più 'l mondo perde;
l'arte e la morte non van bene insieme:
che convien più che di me dunche speri? (283)

S'a tuo nome ho concetto alcuno immago,
non è senza del par seco la morte,
ove l'arte e l'ingegno dilegua.

---

[12] Chi, confidando nelle proprie forze per avere la meglio sulle vecchie passioni, affronta senza il necessario timore l'ultima partita, ne esce perdente. La memoria del passato di per sé non giova alla vecchiaia senza l'opera della grazia.

[13] Nella parte inferiore del foglio che porta questi versi, probabilmente interrotti, è schizzata a carboncino la pianta di San Pietro in Vaticano. Gli ultimi due versi sono incompleti, il significato rimane pertanto oscuro.

Ma se, quel c'alcun crede, i' pur m'appago
che si ritorni a viver, a tal sorte
ti servirò, s'avvien che l'arte segua[14] (284).

Risonanza

Voglio ora raccogliere qualche *Rima* a proposito di alcune caratteristiche che ho rilevato nella *Pietà Rondanini*.
Innanzitutto mi sembra interessante considerare i lacci che abbiamo notato nella parte posteriore della madre.
I lacci sono elemento caratteristico degli schiavi del *Monumento funebre a Giulio II*. Con ogni evidenza non assolvono a un ruolo descrittivo: nei *Prigioni*, infatti, la vera resistenza è determinata dalla materia e dalle forze che il loro divincolarsi suscita e contrasta. La loro presenza è simbolica. Sono dunque una parola di precisazione che non può essere superflua o casuale, tanto più in un'opera su cui Michelangelo ha dovuto riflettere e ritornare tanto a lungo. È interessante notare che in un foglio con «schizzi d'uno schiavo per la tomba di Giulio II...» Michelangelo annota la prima quartina del Sonetto 271 del Petrarca con una sola variazione; la quartina è questa:

L'ardente *nodo* ov'io fui d'ora in ora,
contando anni ventuno ardendo preso,
morte disciolse; né già mai tal peso
provai, ne credo c'uom...[15] (Appendice 13)

---

[14] Dopo la testimonianza della sofferta tensione tra la propria vocazione artistica e la misura della vita che si profila nella morte, risuonano, luminosi, questi versi. Riporto le note di E. Barelli dell'edizione Rizzoli: «"Se in nome tuo ho concepito qualche figura, accanto ad essa ho avvertito parimenti anche la morte, con la quale arte e ingegno si dileguano. / Ma se io pure mi appago dell'idea che si possa ritornare a vivere, come c'è chi crede, ti servirò per raggiungere tale traguardo, sol che l'arte mi assecondi". Il Gilardi: "Ma se, come altri crede, io pure mi contento di tornare in vita, in tal caso ti servirò, sempre che anche l'arte riviva". Il Piccoli annota genericamente: "Queste terzine sono rivolte a Dio: l'arte, per essere eterna, deve essere ravvivata dalla coscienza di quella Fede che supera la morte"».

[15] Il corsivo è mio.

La citazione finisce ove Petrarca continua: «... né credo c'uom di dolor mora».

Leggiamo poi in un frammento di sonetto:

Arder sole' nel freddo ghiaccio il foco;
or m'è l'ardente foco un freddo ghiaccio,
disciolto, Amor, quello insolubil *laccio*,
e morte or m'è che m'era festa e gioco.

Quel primo amor che ne diè tempo e loco,
nella strema miseria è greve impaccio
a l'alma stanca... (281)

I lacci rappresentano le passioni vitali che avvincono lo spirituale, laccio è l'amore umano, laccio è la storia e la vita che in essa si compie, laccio è l'ardore della giovinezza. Come la materia contende con la forma, il materiale contende con lo spirituale. Per tutta la vita i due piani sembrano sovrapporsi fino a confondersi, poi viene la morte. Nella morte, come nella *Notte* delle *Cappelle Medicee*, la contesa cessa, la forma è liberata dalla tensione, i lacci si allentano e rimangono solo come stigmate della lotta passata.

Per ora non aggiungo altro a questo riguardo.

Soffermiamoci ora qualche momento sul tema della morte che ha qui un ruolo di primo piano, vuoi a motivo dell'opera che stiamo considerando, vuoi per la notevole ricorrenza nella riflessione di Michelangelo in questa fase tarda della sua esistenza, vuoi per la destinazione della *Pietà Rondanini* a raccogliere la meditazione del suo autore sul mistero della propria morte e la sua cristiana speranza di vita.

Carico d'anni e di peccati pieno
e col trist'uso radicato e forte,
vicin mi veggio a l'una e l'altra morte,
e parte 'l cor nutrisco di veleno.

Né proprie forze ho, c'al bisogno sièno
per cangiar vita, amor, costume o sorte,
senza le tuo divine e chiare scorte
d'ogni fallace corso guida e freno.

Signor mie car, non basta che m'invogli
c'aspiri al ciel sol perché l'alma sia,
non come prima, di nulla, creata.

Anzi che del mortal la privi e spogli,
prego m'ammezzi l'alta e erta via,
e fie più chiara e certa la tornata[16] (293).

Mentre m'attrista e duol, parte m'è caro
ciascun pensier c'a memoria mi riede
il tempo andato, e che ragion mi chiede
de' giorni persi, onde non è riparo.

Caro m'è sol, perc'anzi morte imparo
quant'ogni uman diletto ha corta fede;
tristo m'è, c'a trovar grazi'e mercede
negli ultim'anni a molte colpe è raro.

Ché ben c'alle promesse tua s'attenda,
sperar forse, Signore, è troppo ardire
c'ogni superchio indugio amor perdoni.

Ma pur nel tuo sangue si comprenda,
se per noi par non ebbe il tuo martire,
senza misura sien tuo cari doni (294).

Troviamo nelle *Rime* che hanno per tema la morte i *due
aspetti* che ho già sopra segnalato: le due facce della morte. La
morte *come estrema parola* dell'opera della storia, il compimento dell'opera creata, e la morte *come luogo del risuonare della
parola della misericordia,* la morte come luogo della manifesta-

---

[16] Impossibile anche qui non pensare a Dante.

zione della grazia redentrice della croce, della morte stessa di Cristo. Se dal punto di vista della storia non c'è nulla da aspettarsi come diritto e la parola estrema che l'uomo può attendersi non può che evidenziare la miseria della sua vicenda (cosicché tale attesa non fa che esasperare il dramma che si è approfondito nello scorrere dell'esistenza in direzione del suo completamento), considerata dal punto di vista dell'assoluta eccedenza, dell'incommensurabilità del martirio di Cristo (*se per noi par non ebbe il tuo martire*), la morte sarà invece la rivelazione di una grazia senza misura umana (*senza misura sien tuo cari doni*).

L'attesa della morte, da questa prospettiva, è necessariamente determinata dalla speranza. Se la riflessione michelangiolesca sulla *fine* della storia non può che concludere all'Artefice supremo – nella sua rivelazione di misura dinamica del cosmo –, la contemplazione *del fine* della storia non può che rimanere sospesa alla passione e morte di Gesù, parola estrema che misura la storia con la misura trasgrediente, eccessiva, della misericordia.

Non fur men lieti che turbati e tristi
che tu patissi, e non già lor, la morte,
gli spirti eletti, onde le chiuse porte
del ciel, di terra all'uom col sangue apristi.

Lieti, poiché, creato, il redemisti
dal primo error di suo misera sorte;
tristi, a sentir c'a la pena aspra e forte,
servo de' servi in croce divenisti.

Onde e chi fusti, il ciel ne diè tal segno
che scurò gli occhi suoi, la terra aperse,
tremorno i monti e torbide fur l'acque.

Tolse i gran Padri al tenebroso regno,
gli angeli brutti in più doglia sommerse;
godé sol l'uom, c'al battesmo rinacque (298).

Scarco d'un'importuna e greve salma,
Signor mie caro, e dal mondo disciolto,
qual fragil legno a te stanco rivolto
dall'orribil procella in dolce calma.

Le spine e i chiodi e l'una e l'altra palma
col tuo benigno umil pietoso volto
prometton grazia di pentirsi molto,
e speme di salute alla trist'alma.

Non mirin co' iustizia i tuo sant'occhi
il mie passato, e 'l gastigato orecchio;
non tenda a quello il tuo braccio severo.

Tuo sangue sol mie colpe lavi e tocchi,
e più abbondi, quant'i' son più vecchio,
di pronta aita e di perdono intero (290).

Come ho già suggerito sopra, ritengo che il primo punto
di vista sia quello che trova espressione nel *Giudizio universale,* il secondo, a esso congruentemente complementare, quello che trova forma nella *Pietà Rondanini.*

Prima di tornare sinteticamente a quest'ultima ascoltiamo ancora alcune *Rime* che mi paiono illuminanti a proposito del tema del *volto* e dell'*immagine* di Dio nell'uomo.

A continue riprese Michelangelo manifesta la convinzione che l'uomo traspare l'immagine del creatore. Lo abbiamo già ribadito, ma occorre che teniamo ben presente questo principio dell'*analogia entis*[17] che determina l'opera michelangiole-

---

[17] Il termine è tecnico. Analoghi per la filosofia sono due concetti individuati dalla somiglianza di una relazione. Per la teologia è possibile considerare un certo rapporto di analogia tra gli enti: tra gli esseri creati e il Creatore che ha consegnato alla creazione una traccia di sé per poter essere conosciuto, seppur «andando come a tentoni» (At 17, 27), a motivo dell'assoluta differenza qualitativa che distingue Dio dalle sue creature. L'uomo della Bibbia è creato a immagine e somiglianza di Dio, l'amore dell'uomo è a immagine di Dio che lo fonda e ne costituisce la condizione prima e ultima di possibilità. L'opera della libertà dell'uomo nella storia è a immagine dell'opera della libertà di Dio che all'uomo ha consegnato la creazione. Su quest'ultimo aspetto in particolare si è concentrata la nostra attenzione a proposito di Michelangelo.

sca: Dio è il grande artefice dell'opera del cosmo, quest'opera porta le tracce della sua intenzione creatrice; l'uomo è creato a immagine di Dio stesso, anch'egli dunque in qualche modo compie un'opera a immagine del creatore e quest'opera porta le tracce dell'intenzione dell'uomo che la compie. Ora, per bene operare bisogna corrispondere con costante tensione al compito dell'opera che ci è stata affidata; compiendo questa, l'uomo realizza la propria esistenza; compiendo le sue opere l'uomo compie l'opera della sua vita. Ma occorre che lo faccia continuamente proteso nella contemplazione dell'opera di Dio, in cui la propria si colloca, per poter riconsegnare l'opera della sua vita a colui da cui ha preso origine, perché a lui solo spetta il compimento.

Nella condizione di miseria degli uomini l'armonia di questo progetto cosmico è turbata dal peccato. Così l'opera dell'uomo patisce confusione e disgregazione, la *hybris*[18] ha sostituito l'obbedienza e la consegna a Dio, e va a infrangersi solo di fronte all'impotenza degli umani progetti a conseguire il compimento nella generale armonia.

Ad alcuni spiriti particolarmente acuti è dato di percepire tutto questo e, compiendo il personale itinerario spirituale, di testimoniare al proprio tempo ciò che esso, nella sua cecità, da solo non sa vedere. In questo modo la loro opera (e quindi, per quanto riguarda Michelangelo e Dante, la rispettiva opera d'artista o di poeta) diviene lo sviluppo di un itinerario spirituale di visione in visione, che perviene al compimento dell'opera della propria vita redenta e che si offre come occasione di redenzione, testimonianza profetica per la storia.

---

[18] È il sentimento di insolenza per cui l'uomo pretende di impossessarsi delle prerogative di Dio, rivendicandole come propri diritti. Secondo i Greci, da cui il termine discende, è insaziabile impulso a ottenere sempre di più in cui si nasconde l'insidia del demone. Sentimento cantato da Eschilo, famosamente rappresentato da Prometeo, ha non marginali analogie con la narrazione biblica del peccato originale di Adamo ed Eva.

Tale personale cammino di redenzione, congruentemente si compie nella definitiva, estrema riconsegna dell'opera della propria vita alla misericordia di Dio.

Lungo l'intero percorso, i sentimenti umani – primo tra tutti l'amore –, le parole umane – con in testa a tutte la parola artistica –, i tratti umani – ed eminentemente il volto –, si accordano sempre più con l'immagine di cui sono stati originariamente informati e si trasfigurano per assumere – resi perfettamente maturi nella morte, nel definitivo scioglimento dei lacci materiali – i tratti della loro fisionomia eterna.

La forza d'un bel viso a che mi sprona?
C'altro non è c'al mondo mi diletti:
ascender vivo fra gli spirti eletti
per grazia tal, c'ogni altra par men buona.

Se ben col fattor l'opra suo consuona,
che colpa vuol giustizia ch'io n'aspetti,
s'i' amo, anz'ardo, e per divin concetti
onoro e stimo ogni gentil persona? (279)

Perché l'età ne 'nvola
il desir cieco e sordo,
con la morte m'accordo,
stanco e vicino all'ultima parola.
L'alma che teme e cola
quel che l'occhio non vede,
come da cosa perigliosa e vaga,
dal tuo bel volto, donna, m'allontana.
Amor, c'al veder non cede,
di foco e speme; e non già cosa umana
mi par, mi dice, amar... (268)

E da ultimo ascoltiamo questi due preziosissimi frammenti dispersi.

Nulla già valsi...
il tuo volto nel mio
ben può veder, tuo grazia e tuo mercede,
chi per superchia luce te non vede (Appendice 34).

Non ha l'abito intero
prima alcun, c'a l'estremo
dell'arte e della vita (Appendice 35).

Bellissime parole ultime che sembra udir risuonare contemplando la *Pietà Rondanini*: gesto estremo dell'arte e della vita, la cui plastica evanescente vibra di luce misteriosa, come una speranza.

Contemplando... come in un mattino di risurrezione

Proviamo dunque, ora, a tornare a osservare la *Pietà Rondanini*.

Ritengo che la sua "lettura" debba scorrere dal più finito al meno finito e precisamente a partire dal braccio sulla sinistra.

Io amo pensare che sia il braccio di Michelangelo, lasciato cadere, al termine dell'opera della sua vita. Il braccio che per tutta la vita ha operato facendo di questa vita stessa la sua drammatica opera d'arte; il braccio che ha servito il riscatto della materia e con essa il riscatto dello spirito; il braccio – che ha operato nella forma la fatica del concetto, che ha fatto della passione per la forza che opera, per la dinamica dell'essere, il proprio assenso alla "parola" che lo ha consegnato all'esistere –, ora si abbandona, come esausto, perfettamente compiuto nella morte, come lo *Schiavo morente* del Louvre sembra anticipare. Il polso carico di tensione, capace di tutta la determinazione dell'azione decisiva, che vediamo nel *Davide*, è qui ormai definitivamente rilasciato.

L'opera che si compie ora è solo opera del Dio che si è consegnato alla morte, è l'opera della sua risurrezione che l'artista contempla confusamente dalle soglie della morte, forte della

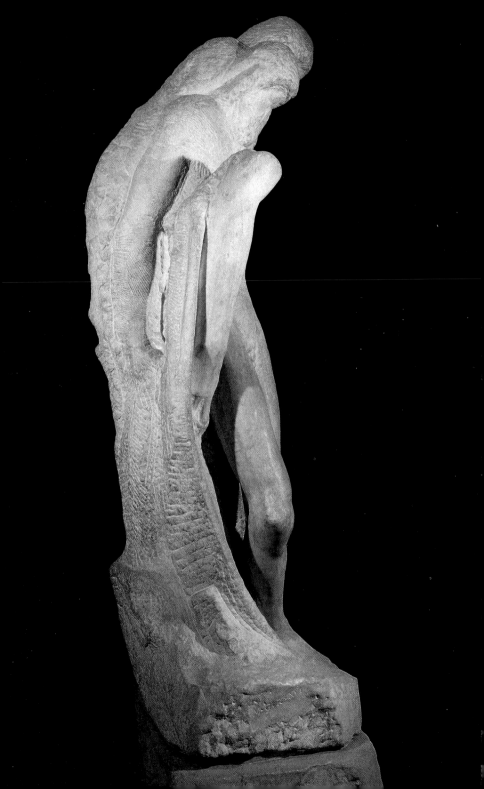

testimonianza della Parola che dice che coloro che sono stati immersi in una morte simile alla Sua godranno di una risurrezione come la Sua[19], perché il Risorto sia il primogenito tra molti fratelli[20]. Così il miracolo, che nulla nella storia dell'uomo è in grado di produrre, si opera come di fronte al braccio abbandonato che ha terminato, consegnato, la sua opera. È come se gli germogliasse di fronte, inatteso, senza alcun clamore, operando con una forza così diversa da quelle che hanno vigorosamente agitato la storia fino al poderoso clamore del suo ultimo atto[21]. È come la forza silenziosa ma implacabile di un germoglio. La terra si apre per lasciarlo spuntare e questo sale, dispiegandosi verso una vita che ha raccolto nel mistero della morte, e che ora fiorisce, forza assoluta di rinnovamento per la stanca vicenda della terra dell'uomo.

E così, fragile, sorge dalla terra e dalla morte, di cui riprende e testimonia la memoria, la traccia indelebile nella bella definizione delle gambe ancor così vicine alla terra, per poi affermare l'ineffabilità di una Parola di vita nuova e definitiva, divina. Colui che risorge è Colui che era morto, è il Primogenito[22] innanzitutto, ma è anche ogni suo fratello uomo che egli accomuna a sé nella sua vittoria redentrice. È Michelangelo stesso dunque, e i due volti, quello dell'uomo della croce che risorge, che si leva, e quello di Michelangelo, si richiamano a vicenda, nella medesima impronta, e non si possono trovare parole umane per significare questa visione, se non quelle parole così umane e così divine che l'Evangelo custodisce, parole in cui risuona l'eco della promessa che, dopo aver chiesto di saper riconoscere il Figlio in ciascuno dei suoi fratelli uomini, assicura che al compimento saremo simili a lui.

---

[19] Cf Fil 3, 10; Rm 6, 4.
[20] Cf Rm 8, 29; Col 1, 18.
[21] Mi riferisco evidentemente al *Giudizio universale*.
[22] Cf Rm 8, 29; Col 1, 18.

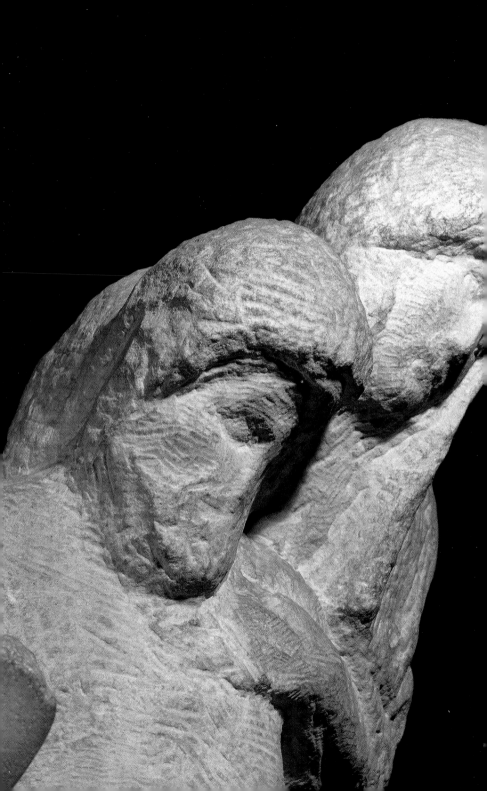

Al senso del tragico sublime della *Cappella Sistina* risponde qui un canto flebile di speranza; alla parola nitida e vigorosa dai contorni decisi e volitivi del Giudice risponde qui il gesto misterioso di trasfigurante misericordia, come percepito nell'ora antelucana di un mattino di risurrezione, ancora così prossimo al torpore che ha avvolto l'ultima sera.

Così sbocciando, il Risorto, e Michelangelo con lui, si carica sulle spalle una donna, la madre. Abbiamo qui una sorta di rovesciamento del senso della maternità, della nascita, dell'origine. La vita risorta non sorge dalla carne e dal sangue[23] (forse anche a questo alludono i genitali insolitamente scoperti, ma non compiuti e in alcun modo perfezionabili di Gesù), non consegue naturalmente alla storia e alle sue generazioni; sorge da un miracolo divino di ricreazione, che però si fa carico fin dalla radice della storia della carne, del suo grembo, del suo volto, del suo destino mortale. Tutta questa storia che Michelangelo ha vissuto appassionatamente, in cui ha arso, di cui ha gustato l'immagine teologica profondamente impressa, sorprendentemente attuale nell'Amore e nella bellezza della maternità generatrice, affascinante nella giovinezza, dolorosa nella vecchiaia; tutta questa storia l'uomo nella propria risurrezione con Cristo si carica sulle spalle in un atto assoluto di redenzione. Ed ecco che dalla schiena di questa "madre" cadono gli ultimi lacci. La madre non teme di farsi caricare sulle spalle del figlio e in questo – ben sanno le madri che preferirebbero piuttosto riaccoglierlo in grembo – si compie la definitiva riconsegna. «Figlia del tuo figlio», cantava Dante[24], ma davvero un figlio non genera nel grembo. Non si ritorna bambini. Fatti definitivamente adulti nel grembo della morte, possiamo farci consapevolmente carico della vita che dal grembo alla morte ci ha consegnati, caricarcela

---

[23] Come afferma il *Prologo* del Vangelo secondo Giovanni.
[24] DANTE ALIGHIERI, *Paradiso*, XXXIII, 1.

sulle spalle come nostra croce, con un atto di tenerezza infinita perché possiamo conservarla, redenta, quale nostra identità per l'eternità. Allo stesso modo con cui il Figlio di Dio (che si è incarnato, che si è fatto partorire in questa nostra storia) si è caricato la croce pesante di questa storia che gli è stata madre, e l'ha portata con una tenerezza infinita mentre sfigurava il suo volto, di uomo e di figlio, secondo le dolorose fattezze del volto di questi figli uomini che era venuto a salvare.

Il nuovo e definitivo germoglio si fa carico così dell'antico tronco di Jesse. Questo fonda la speranza escatologica dell'artista che, se è certamente speranza della propria definitiva salvezza, è nondimeno speranza che l'intera opera della sua vita – e quindi le sue opere appassionate – sia consegnata a un destino eterno.

Credo che meriti concludere questa osservazione-meditazione sull'ultima opera di Michelangelo ritornando a Dante e all'approdo del suo capolavoro e della sua testimonianza. Ritengo infatti che l'ascolto degli ultimi versi della *Commedia*[25] possa accompagnare in modo molto prezioso la contemplazione della *Pietà Rondanini*.

Come forse è noto, giunto al vertice del suo cammino Dante è ammesso alla contemplazione di Dio in cui scorge tre profili: a) quello dell'unità-unicità del creatore che si "squaderna" nella molteplicità del creato; b) quello del dinamismo trinitario; c) quello del Figlio dell'uomo.

Ora noi annotiamo che Michelangelo non ha di fronte la visione di Dio (non a questo conclude la sua opera), quanto piuttosto il compimento della creazione nell'atto definitivo della redenzione, così come si realizza nella risurrezione di Gesù. La visione della Trinità è, per così dire, l'atto successivo a quanto costituisce l'oggetto della meditazione-testimonian-

---

[25] I versi di Dante citati in seguito sono tutti del XXXIII canto del *Paradiso*.

za che Michelangelo consegna nella *Pietà Rondanini*. Ma a esclusione di questo, credo che ascoltando Dante possiamo intravedere l'opera di Michelangelo.

Dante innanzitutto ci rende edotti del carattere di ultimatività estrema dell'evento che sta per testimoniare, e si cautela insistentemente presso il lettore sulla assoluta particolarità del *linguaggio* che, se già durante tutta l'ascesa attraverso i cieli si era per così dire rarefatto, ora è paradossalmente comandato a esprimere l'ineffabile.

Omai sarà più corta mia favella
pur a quel ch'io ricordo, che d'un fante
che bagni ancor la lingua a la mammella (106-108).

La parola della fine si rivela così simile a quella dell'infante, come ci è già capitato di dire più sopra, ma questa volta per eccedenza, per sporgenza verso la Parola assoluta che viene contemplata. Ma anche perché come nel bambino avviene che soggetto e oggetto si confondano nell'unico atto intenzionale e irriflesso che si esprime nella lallazione, così, nella contemplazione, il mistero contemplato si imprime nella coscienza credente in assoluta, aconcettuale evidenza, fondandone la speranza nella visione. Per questo anche la parola poetica risulta insufficiente e deve limitarsi a suggerire una visione che, anche nell'ascoltatore, soppianti ogni riduzione concettuale.

E ascoltiamo dunque cosa vede Dante.

Innanzitutto vede l'intero creato nella sua molteplice varietà ricondotto all'unità del Creatore, scorge nel Creatore l'atto perennemente giovane della creazione. Ma si badi, Dante è al compimento del proprio cammino spirituale, lì ritrova l'intera creazione in tutta la sua dignità originaria, riscoperta a questo punto dal suo sguardo redento e dalla sua ammissione alla contemplazione della verità di Dio.

Oh abbondante grazia ond'io presunsi
ficcar lo viso per la luce etterna,
tanto che la veduta vi consunsi!

Nel suo profondo vidi che s'interna,
legato con amore in un volume,
ciò che per l'universo si squaderna:

sustanze e accidenti e lor costume,
quasi conflati insieme, per tal modo
che ciò ch'i' dico è un semplice lume (82-90).

Ma ecco che cosa scorge il massimo poeta cristiano dopo aver contemplato la spirazione trinitaria. Richiamata una volta ancora l'attenzione del lettore sulla questione centrale del linguaggio, scrive:

Quella circulazion che sì concetta
pareva in te come lume reflesso,
da li occhi miei alquanto circunspetta,

dentro da sé, del suo colore stesso
mi parve pinta de la nostra effige:
per che 'l mio viso in lei tutto era messo (127-132).

Dante ci sta dicendo che la seconda sfera di luce, la seconda Persona della Trinità – il Figlio dunque –, scrutata dagli occhi del pellegrino visionario (resi capaci, per grazia inaudita, di cotal visione), si rivelò dipinta al suo interno dell'immagine dell'uomo. Dunque il Figlio di Dio si rivela insuperabilmente caratterizzato dai tratti dell'uomo, Figlio di Dio e Figlio dell'uomo; ma ecco il vertice grandioso che si svela al credente e che fa spezzare la voce solo al dirlo: non si tratta dell'uomo in generale, si tratta proprio di lui, di Dante, del suo proprio volto. Questa è la massima visione della Speranza

69

cristiana. Questo vede Michelangelo stesso e ce lo lascia detto come sua parola estrema: lasciato cadere il martello contempla questo miracolo inaudito germogliare oltre la morte e, risalendo il profilo della Pietà nella sua misteriosa incompiutezza di parola ultima in cui trova eco l'ineffabile, pare di continuare ad ascoltare Dante:

Qual è 'l geomètra che tutto s'affige
per misurar lo cerchio, e non ritrova,
pensando, quel principio ond'elli indige,

tal era io a quella vista nova:
veder voleva come si convenne
l'imago al cerchio, e come vi s'indova;

ma non eran da ciò le proprie penne:
se non che la mia mente fu percossa
da un fulgore in che sua voglia venne.

A l'alta fantasia qui mancò possa;
ma già volgeva il mio disio e 'l *velle*,
sì come rota ch'igualmente è mossa,

l'amor che move il sole e l'altre stelle (133-145).

Indice

71